이동원 목사 복음서 강해 전집 6

쉽게 풀어 쓴 요한의 복음 이야기(상)

이동원 목사 복음서 강해 전집 6
쉽게 풀어 쓴 요한의 복음 이야기(상)

지은이 | 이동원
초판 발행 | 2018. 10. 24
개정판 발행(전집) | 2025. 11. 26
등록번호 | 제1988-000080호
등록된 곳 | 서울특별시 용산구 서빙고로 65길 38
발행처 | 사단법인 두란노서원
영업부 | 2078-3333   FAX | 080-749-3705
출판부 | 2078-3331

책값은 뒤표지에 있습니다.
ISBN 978-89-531-5088-1 04230
S E T 978-89-531-5082-9 04230

독자의 의견을 기다립니다.
tpress@duranno.com   www.duranno.com

＊이 책은 《쉽게 풀어 쓴 요한의 복음 이야기 1》의 개정판입니다.

두란노서원은 바울 사도가 3차 전도여행 때 에베소에서 성령 받은 제자들을 따로 세워 하나님의 말씀으로 양육하던 장소입니다. 사도행전 19장 8-20절의 정신에 따라 첫째 목회자를 돕는 사역과 평신도를 훈련시키는 사역, 둘째 세계선교(TIM)와 문서선교(단행본·잡지)사역, 셋째 예수문화 및 경배와 찬양 사역, 그리고 가정·상담 사역 등을 감당하고 있습니다. 1980년 12월 22일에 창립된 두란노서원은 주님 오실 때까지 이 사역들을 계속할 것입니다.

이동원 목사 복음서 강해 전집 6

쉽게 풀어 쓴
요한의 복음 이야기(상)

이동원 지음

두란노

목차

사복음서와 사도행전 강해가 시리즈로 함께 출간되어 기쁩니다. 본래 사복음서 중에 제일 먼저 세상에 나온 것은 마가복음입니다. 마가복음과 누가복음은 예수님의 생애를 비교적 연대기적으로 소개합니다. 마태복음은 예수님의 천국(하나님 나라) 사상을 중심으로 전개됩니다. 그리고 요한복음은 예수님의 영성적 가르침을 주제별로 모아 소개합니다. 그냥 마태, 마가, 누가, 요한식으로 설교하다 보면 많은 중복을 피할 수 없습니다. 그래서 저는 설교할 때 이런 중복을 피하고자 노력했습니다. 그래도 사복음서의 중요한 부분들을 놓치지 않고 설교하고자 했습니다.

오늘 우리 시대는 점점 더 강해 설교를 피해 가는 경향을 보이고 있습니다. 그러면 자연스럽게 제목 설교 중심으로 설교할 수밖에 없습니다. 저는 제목 설교, 특히 주제별 설교도 필요하다고 믿는 사람입니다. 그러나 한 강단에서 오래 설교하려면 제목 설교는 곧 한계에 부딪히게 됩니다. 저도 담임 목회 기간에 종종 제목 설교를 시도했습니다. 그러나 곧 다시 강해 설교로 돌아오곤 했습니다.

이제 사복음서와 사도행전을 한데 묶어 출간하게 됨을 진심으로 감사하게 생각합니다. 사복음서와 사도행전의 유일한 주제인 우리 주님이 높이 드러나기만을 소원합니다. 그분만이 우리 시대와 다가오는 시대의 유일한 소망이심을 믿기 때문입니다.

한국 교회 강단에 복음의 생수가 넘쳤으면 좋겠습니다. 한 분, 예수 그리스도만이 우리의 구주요, 주님이심이 선포되기를 기도합니다. 이 사복음서와 사도행전이 한데 묶여 함께 한 주인이신 예수님을 영화롭게 하기를 바랍니다.

성역 55주년, 나이 80세를 맞이하며 신약을 여는 사복음서와 사도행전을 주께 올립니다. 이 시리즈가 출간되도록 도움을 준 분들에게도 감사를 드립니다.

지구촌 목회리더십센터 섬김이
이동원 목사

요한복음은 저의 꿈의 책입니다.

이 책으로 성경을 보는 눈이 열렸습니다.

이 책으로 말씀을 사랑하는 가슴이 열렸습니다.

이 책으로 말씀을 선포하는 저의 입이 열렸습니다.

조각으로만 설교하던 요한의 복음을 통으로

강해하는 기회를 주신 주님에게 감사를 드릴 따름입니다.

은퇴의 여유가 저에게 그런 축복을 경험하게 했습니다.

꼬박 1년에 걸쳐 저는 요한의 복음과 다시 씨름했습니다.

젊은 날엔 보이지 않던 많은 숨겨진 보화들을 만났습니다.

요한의 복음은 주를 향한 첫사랑을 회복하게 했습니다.

저는 마치 생애 최초의 설교처럼 이 복음을 설교했습니다.

무엇보다 갈한 가슴에 복음의 생수가 넘쳐 났습니다.

목마른 모든 이웃들을 생수의 우물에 초대합니다.

누구든지 목마르거든 와서 이 생수를 거저 마시기를….

양치는 목자들은 갈릴리의 생선 파티로 배부르시기를….

무엇보다 진리의 말씀을 구도하는 이들이 그분을 만나시기를….

요한의 복음, 그 진리의 향연에 당신을 초대합니다.

필그림 천로역정 순례의 집에서

이동원 목사

(지구촌교회 원로, 지구촌 미니스트리 네트워크 대표)

"태초에 말씀이 계시니라 이 말씀이 하나님과 함께 계셨으니 이 말씀은 곧 하나님이시니라 그가 태초에 하나님과 함께 계셨고 만물이 그로 말미암아 지은바 되었으니 지은 것이 하나도 그가 없이는 된 것이 없느니라 그 안에 생명이 있었으니 이 생명은 사람들의 빛이라 빛이 어둠에 비치되 어둠이 깨닫지 못하더라 하나님께로부터 보내심을 받은 사람이 있으니 그의 이름은 요한이라 그가 증언하러 왔으니 곧 빛에 대하여 증언하고 모든 사람이 자기로 말미암아 믿게 하려 함이라 그는 이 빛이 아니요 이 빛에 대하여 증언하러 온 자라 참빛 곧 세상에 와서 각 사람에게 비추는 빛이 있었나니 그가 세상에 계셨으며 세상은 그로 말미암아 지은바 되었으되 세상이 그를 알지 못하였고 자기 땅에 오매 자기 백성이 영접하지 아니하였으나 영접하는 자 곧 그 이름을 믿는 자들에게는 하나님의 자녀가 되는 권세를 주셨으니"(요 1:1-12).

1

태초부터
계신 이

예수 그리스도는 만물의 창조자,
곧 나의 창조자이시다

성경을 처음 대한 중국의 한 시인이 창세기 1장 1절을 읽고 감동을 받아 바로 그리스도인이 되었다는 글을 읽은 적이 있습니다.

"태초에 하나님이 천지를 창조하시니라."

인류 역사의 처음 비밀을 밝히는 장엄하고도 위대한 선언입니다. 성경 첫 구절에서의 '태초'는 시간의 시작을 알리는 선언입니다. 그러나 이 구절과 대조적으로 요한복음은 시간의 시작 그 이전의 비밀을 밝히고 있습니다.

"태초에 말씀이 계시니라"(요 1:1).

여기 '태초'라는 단어 앞에는 헬라어 원문에 정관사가 생략되어 있습니다. 영어로 말하면 'in the beginning'이 아니라, 'in beginning'(hen arche)인 것입니다. 시작을 지정할 수 없는 시작 그 이전, 곧 영원부터 말씀이 있었다는 말입니다. 여기서 '말씀'(로고스, logos)은 예수 그리스도를 지칭하는 별명입니다. 말씀은 보이지 않는 생각을 보이도록 표현하고 창조하는 역할을 하지 않습니까? 예수 그리스도는 보이지 않는 하나님을 계시하고 하나님의 생각을 드러내신 분이라는 의미에서 '로고스', 곧 말씀으로 지칭한 것입니다. 그래서 요한복음 1장 18절은 "본래 하나님을 본 사람이 없으되 아버지 품속에 있는 독생하신 하나님이 나타내셨느니라"라고 선포합니다. 이제 요한복음 1장 14절을 보십시오.

> "말씀이 육신이 되어 우리 가운데 거하시매 우리가 그의 영광을 보니 아버지의 독생자의 영광이요 은혜와 진리가 충만하더라."

그러므로 요한복음 1장 1절은 이렇게 읽힐 수 있습니다.
'태초, 곧 시간의 시작 그 이전, 영원부터 말씀이신 그리스도가 계시니라.'
요한복음의 서두인 요한복음 1장 1-12절은 바로 이 태초부터 계신 이의 사역을 소개하고 있습니다. 그는 누구이며, 왜 그가 이 역

사 속에 오셨는가와 인류는 그분을 어떻게 대했는가를 증언하고자
하는 것입니다.

예수 그리스도는 누구신가

기독교 신앙에서 가장 중요한 질문은 '예수 그리스도는 누구신가?'
라는 물음입니다. 예수님이 3년 동안 함께하며 가르쳤던 제자들에
게 마지막 테스트로 주신 질문도 '바로 그것'이었습니다. MBC 미스
터리 음악 쇼 〈복면 가왕〉에서 출연자들의 정체를 밝힐 때 사회자
가 강조해서 외치는 말이 무엇입니까? "바로~"입니다. 그분은 '바로
~' 누구이실까요? 예수님의 제자들을 향한 마지막 질문은 "사람들
이 인자를 누구라 하느냐"(마 16:13)였습니다. 그리고 이어지는 질문
은 "너희는 나를 누구라 하느냐"(마 16:15)였습니다. 이 질문은 그분
이 무엇을 가르쳤느냐보다 더 중요합니다. 왜냐하면 그분을 누구로
믿느냐가 우리의 구원을 결정하기 때문입니다. 예수님을 감동시킨
제자 베드로의 유명한 대답을 우리는 기억합니다.

"주는 그리스도시요 살아 계신 하나님의 아들이시니이다"(마 16:16).

그런데 이것은 마태뿐 아니라 사도 요한이 요한복음을 기록한 목
적이기도 합니다.

"오직 이것을 기록함은 너희로 예수께서 하나님의 아들 그리스도 이심을 믿게 하려 함이요 또 너희로 믿고 그 이름을 힘입어 생명을 얻게 하려 함이니라"(요 20:31).

그렇다면 앞서 언급한 기독교 신앙에서 가장 중요한 질문인 태초부터 계시는 이, 그는 누구십니까? 이 물음에 요한복음의 서론은 두 가지 대답을 들려주고 있습니다.

창조자이신 그리스도

첫째, 예수 그리스도는 창조자이십니다.

"만물이 그로 말미암아 지은바 되었으니 지은 것이 하나도 그가 없이는 된 것이 없느니라"(요 1:3).

여기서 '그'는 바로 말씀이신 예수 그리스도이십니다. 그분은 피조물이 아니라 창조자라는 선언입니다. 요한복음 1장 1절에서, 말씀이신 그분은 하나님이라고 선언됩니다. 그리고 2절에서 그분은 태초부터, 아니 시간 이전, 곧 영원부터 하나님과 함께 계신 하나님이셨습니다. 기독교 교리에서는 그분을 '영원부터 성부 하나님과 함께 계신 성자 하나님'이라고 선언합니다.

"이 모든 날 마지막에는 아들을 통하여 우리에게 말씀하셨으니 이 아들을 만유의 상속자로 세우시고 또 그로 말미암아 모든 세계를 지으셨느니라"(히 1:2).

이 말씀은 아들 하나님도 창조자라는 선언입니다. 그렇습니다. 이 성자 하나님은 성부 하나님의 만물 창조에 동참하신 창조자 하나님이셨습니다. 하나님의 아들 예수 그리스도는 단순히 인류의 위대한 스승이나 4대 성인의 한 사람이 아니라, 그분의 본질에 있어서 창조자라는 선언입니다. 이 선언은 후일 바울 사도를 통해서도 거듭해서 지속적으로 확인되고 선포됩니다.

"만물이 그에게서 창조되되 하늘과 땅에서 보이는 것들과 보이지 않는 것들과 혹은 왕권들이나 주권들이나 통치자들이나 권세들이나 만물이 다 그로 말미암고 그를 위하여 창조되었고"(골 1:16).

오늘 우리가 믿고 영접한 예수 그리스도는 본질에 있어서 만물의 창조자, 곧 나의 창조자이십니다. 그분이 나를 지으셨다면, 또한 나를 누구보다 잘 아시는 하나님이 아니겠습니까?

구원자이신 그리스도

둘째, 예수 그리스도는 구원자이십니다. 창조자가 구원자가 되어 우리 중에 오신 것입니다. 이 진리를 사도 요한은, 창조자이신 그분을 망각하고 사는 세상의 어둠 가운데 그분이 빛으로 오셨다고 선언합니다. 빛은 어둠의 구원자입니다. 어둠은 빛으로만 극복할 수 있습니다. 만물에게 생명을 주시던 창조자가 친히 빛이 되어 이 땅에 오셨다는 것입니다.

"그 안에 생명이 있었으니 이 생명은 사람들의 빛이라"(요 1:4).

1970년대 초, 제가 미국 유학길에 올라 한국을 떠나 처음 도착한 곳은 자동차 도시로 유명한 디트로이트였습니다. 처음 이 도시에 도착해서 신학 공부를 시작할 때, 디트로이트에서 전설처럼 소개되던 한 이야기를 접하게 되었습니다. 추운 겨울, 한 자동차 정비사가 자기 차를 몰고 출근을 하던 중 차가 고장이 나서 길 옆에 세워 두고 원인을 찾고 있었다고 합니다. 그때 한 세단 자동차가 다가와 서더니 한 신사가 내리며 "무엇을 도와드릴까요?" 하고 묻더랍니다. 그는 무슨 생각을 했을까요? 아마도 '이 도시 최고의 정비사인 나도 못 고치는 것을 누가 고치겠는가?' 하고 생각했을 것입니다. 신사는 미소를 지으며 자동차 캡을 열고 몇 군데를 만져 보더니 시동을 걸어 보라고 했답니다. 그런데 놀랍게도 시동이 걸리는 것이었습니다. 정비사는 깜짝 놀라며 "도대체 당신은 누구신가요?"라고 물었습니다. 그러자 신사는 명함 하나를 건네며 "좋은 날 되십시오!" 하고는 떠났다고 합니다. 그 명함에는 '헨리 포드'(Henry Ford)라고 쓰여 있었습니다. 바로 그 자동차를 만든 사람이었습니다. 자동차를 만든 사람이 자동차를 가장 잘 고칠 수 있지 않겠습니까? 그것이 바로 창조자가 구원자가 되어 이 땅에 오신 이유입니다. 하나님의 아들 예수 그리스도가 어둠 속에 빛으로 오신 이유인 것입니다.

그리스도에 대한 사람들의 반응

태초부터 계신 이, 창조자로 구원자가 되어 역사 속에 오신 이분을 향한 당시 사람들의 반응은 어떠했을까요? 그리고 지금은 그분에 대해 어떤 반응을 보이고 있을까요? 사도 요한은 사람들의 두 가지 반응을 소개하며 우리에게 선택을 요구합니다. 그 두 가지 반응은 무엇일까요?

영접하지 않음

첫째, '영접하지 아니함'입니다.

"그가 … 자기 땅에 오매 자기 백성이 영접하지 아니하였으나"

이 얼마나 기막힌 아이러니입니까? 내 집에 주인 된 내가 왔으나 내 집 식구들이 나를 영접하지 않았다는 말입니다. 주인이 배척된 세상, 그것이 바로 우리가 살고 있는 어둠의 세상입니다. 그러면 왜 사람들은 그분을 배척했을까요? 본문 5절은 "빛이 어둠에 비치되 어둠이 깨닫지 못하더라"라고 말씀합니다. 그리고 10절은 "그가 세상에 계셨으며 세상은 그로 말미암아 지은바 되었으되 세상이 그를 알지 못하였고"라고 말씀합니다. 다시 말해, 깨닫지 못하고 알지 못한 탓입니다.

오늘날 사람들이 예수 그리스도를 영접하지 않는 이유 역시 마찬가지 아닙니까? 그분이 누구인가를 깨닫거나 알지 못하기 때문입니다. 그분이 창조자이심을, 그분이 구원자이심을 알았더라면 그렇게 거절할 수 있겠습니까? 그래서 무지(無知)는 죄악입니다. 예수 그리스도를 알지 못하는 것은 죄악인 것입니다. 존 번연(John Bunyan)의 《천로역정》을 읽어 보면 책의 줄거리 마지막까지 등장하는 비극의 주인공이 바로 '무지'입니다. 자신의 의, 자신의 생각으로 의롭다 함을 얻고자 했던 비극의 인물, 그는 진정한 의미에서 구세주 예수 그리스도를 모르고 있었던 것입니다. 본문 6-8절은 바로 이 무지를 깨우치고자 예수님이 오시기 직전에 하나님이 세례(침례) 요한을 보내신 것이라고, 그가 바로 이 빛 되신 그리스도를 증언하러 온 것이라고 말씀합니다.

예수님이 처음 팔레스타인에 오셨을 때, 예수님을 가장 가까이에서 접하고도 그분을 영접하지 못한 비극의 캐릭터인 여관 주인을 생각해 보십시오. 아기 예수님의 어머니 마리아가 구세주를 낳아 짐승들의 구유에 눕혔을 때, 누가복음 2장 7절은 "여관에 있을 곳이 없음이러라"라고 기록합니다. 이 여관 주인이 방금 구유에 태어난 그 아기가 세상을 지으신 창조자요, 구세주이심을 알았더라면 어떻게 했어야 마땅했을까요? 그러나 이 사건을 2천 년 전의 비극으로만 생각해서는 안 됩니다. 오늘 당신의 마음을 두드리시는 예수님을 당신은 영접했습니까? 혹시 당신 마음의 중심이 아닌 생각의 외진 구유에 예수님을 방치하고 있지는 않습니까?

영접함

그러나 여기 이 반응과 대조적인 다행스러운 반응이 있었습니다. 이 두 개의 반응의 대조성은 본문 12절 머리에 등장하는 접속사 '그러나'를 강조하고 있습니다. 11절의 '영접하지 아니하였으나'라는 문장은 공적인 일반적 무리의 반응을 뜻합니다. 대부분의 사람은 그를 영접하지 아니하였으나, '그러나' 다른 반응을 보인 사람들이 있었다는 말입니다. 사람들이 보인 다른 반응, 곧 두 번째 반응은 무엇입니까? '영접함'입니다.

우리말 번역에 생략된 '그러나'를 포함시켜 12절을 읽어 보십시오.

"[그러나] 영접하는 자 곧 그 이름을 믿는 자들에게는 하나님의 자녀가 되는 권세를 주셨으니"(요 1:12).

1세기 처음 예수님이 팔레스타인 땅 베들레헴에 오셨을 때, 대부분의 인류는 그분에 대해 무지했습니다. 그리고 그분을 영접하지 않았습니다. 로마의 가이사도, 팔레스타인의 통치자 헤롯 대왕도, 심지어 성경을 연구하던 예루살렘의 대제사장들과 서기관들도 그분을 영접하지 않았습니다. 더러는 무지함 때문에, 더러는 경쟁의식 때문에, 더러는 자존심 때문에, 더러는 편견 때문에 그분을 영접하지 않았습니다.

그러나 영접한 사람들이 있었습니다. 대중의 반응과는 달리, 개인적인 결단으로 예수님을 받아들인 창조적인 영적 소수자들이 있었습니다. 그들은 당시 사회에서 소외된 자(loser)로 취급받던 사람들이었지만, 그래서 마음이 가난하고 겸허하여 마음의 문을 열고 아기 예수님께 달려가 경배했습니다. 베들레헴 지경에서 양 떼를 지키던 목자들이 그랬습니다. 저 동방에서 별을 연구하던 박사들이 그랬습니다. 성전에서 기도하며 구세주의 오심을 기다리던 과부 안나 할머니가 구세주를 영접했습니다.

당신의 반응은 무엇인가

크리스마스에 공연되는 연극 중 가장 감동적인 한 장면은 오래전

캐나다의 한 교회에서 시작된 정신지체아 '랄프'의 이야기입니다. 그가 하도 연극에 참여하고 싶어 해서 연극 팀은 가장 할 일이 적은 여관 주인의 역을 맡겼다고 합니다. 그는 요셉과 마리아가 여관 문을 두드릴 때 딱 한마디, "방 없어요"만 하면 되었습니다. 처음에는 역할을 잘 소화했습니다. 그는 침착하게 "방 없어요"라고 말했습니다. 그러나 두 번째 노크가 계속되자, 랄프는 눈물을 글썽이며 "방 있어요, 내 방으로 오세요"라고 말하고 말았습니다. 그는 위대한 사고를 친 것입니다.

오늘도 사도 요한의 복음은 말합니다.

"영접하는 자 곧 그 이름을 믿는 자들에게는 하나님의 자녀가 되는 권세[합법적 권리]를 주셨으니"(요 1:12).

이것이 바로 요한의 복음, 인류를 향한 굿 뉴스입니다. 오늘 당신의 반응은 무엇입니까? 거절입니까, 영접입니까?

"이는 혈통으로나 육정으로나 사람의 뜻으로 나지 아니하고 오직 하나님께로부터 난 자들이니라 말씀이 육신이 되어 우리 가운데 거하시매 우리가 그의 영광을 보니 아버지의 독생자의 영광이요 은혜와 진리가 충만하더라 요한이 그에 대하여 증언하여 외쳐 이르되 내가 전에 말하기를 내 뒤에 오시는 이가 나보다 앞선 것은 나보다 먼저 계심이라 한 것이 이 사람을 가리킴이라 하니라 우리가 다 그의 충만한 데서 받으니 은혜 위에 은혜러라 율법은 모세로 말미암아 주어진 것이요 은혜와 진리는 예수 그리스도로 말미암아 온 것이라 본래 하나님을 본 사람이 없으되 아버지 품속에 있는 독생하신 하나님이 나타내셨느니라"(요 1:13-18).

2

충만한 데서
받으라

주님 안에 넘쳐흐르는 충만한 은혜,
놀라운 은혜를 누려야 한다

빌 브라이트(Bill Bright) 박사와 CCC를 통해 소개된 《4영리에 대하여 들어 보셨습니까?》(한국대학생선교회)라는 전도 책자는 이 시대를 살아가는 사람들의 하나님에 대한 선입견을 많이 바꾸어 놓았다고 생각합니다. 4영리의 첫째 원리는, '하나님은 우리를 사랑하시고, 우리를 위해 풍성한 삶의 계획을 갖고 계시다는 것'입니다. 하나님은 억지로 우리의 요구를 들으시거나 가까스로 우리의 필요를 채우시는 분이 아니라, 우리가 하나님과 바른 관계를 맺고 있다면 우리에게 '풍성한 삶'(rich life)을 제공하고 싶어 하시는 분이라는 것입니다. 이것은 예수님이 우리에게 친히 약속하신 사실이기도 합니다.

"내가 온 것은 양으로 생명을 얻게 하고 더 풍성히 얻게 하려는 것
이라"(요 10:10).

바울 사도는 에베소서의 말씀을 통해 이런 약속을 지속적으로 우
리에게 확인시켜 주고 있습니다.

"우리는 그리스도 안에서 그의 은혜의 풍성함을 따라 … 너희 마
음의 눈을 밝히사 … 성도 안에서 그 기업의 영광의 풍성함이 무
엇이며"(엡 1:7, 18).

"긍휼이 풍성하신 하나님이 … 그리스도 예수 안에서 … 그 은혜
의 지극히 풍성함을 …"(엡 2:4, 7).

"그리스도의 풍성함을 이방인에게 전하게 하시고 … 그의 영광의
풍성함을 따라 …"(엡 3:8, 16).

이처럼 예수님은 우리에게 풍성한 삶을 약속하십니다.

그런데 에베소서에는 하나님의 속성을 나타내는 '풍성함'이라는
단어와 쌍둥이처럼 등장하는 또 하나의 중요한 단어가 있습니다.
그것은 '충만함'입니다.

"교회는 그의 몸이니 … 만물을 충만하게 하시는 이의 충만함이

니라”(엡 1:23).

“하나님의 모든 충만하신 것으로 너희에게 충만하게 하시기를 구하노라”(엡 3:19).

“이는 만물을 충만하게 하려 하심이라 … 우리가 다 … 그리스도의 장성한 분량이 충만한 데까지 이르리니”(엡 4:10, 13).

“오직 성령으로 충만함을 받으라”(엡 5:18).

이 충만함의 강조는 골로새서에서 더욱 확연하게 드러납니다.

“그 안에는 신성의 모든 충만이 육체로 거하시고 너희도 그 안에서 충만하여졌으니 그는 모든 통치자와 권세의 머리시라”(골 2:9-10).

하나님은 풍성한 삶뿐 아니라 ‘충만한 삶’(full life)을 주고 싶어 하십니다. 그런데 이 충만함에 대한 증언의 오리지널이 바로 요한복음에 나옵니다.

“말씀이 육신이 되어 우리 가운데 거하시매 우리가 그의 영광을 보니 아버지의 독생자의 영광이요 은혜와 진리가 충만하더라 … 우리가 다 그의 충만한 데서 받으니 은혜 위에 은혜러라”(요 1:14, 16).

하나님 그리고 하나님의 아들 예수 그리스도는 풍성하고 충만한 분이십니다. 그렇다면 예수님을 삶의 주인으로 믿고 받아들인 그리스도인들이 그분의 충만한 데서 받아야 할 것은 무엇일까요?

은혜를 받으라

필립 얀시(Philip Yancey)는 그의 명저 《놀라운 하나님의 은혜》(IVP 역간)에서 우리가 살고 있는 세상을 '은혜 없는 세상'이라고 말합니다. 버스 안에서 한 여자가 스콧 펙(Scott Peck)이 쓴 《아직도 가야 할 길》(열음사 역간)을 읽고 있었다고 합니다. 맞은편에 앉은 한 남자가 물었습니다.

"무슨 책을 읽고 계십니까?"

"글쎄요. 무슨 인생 지침서 같기도 하고. 장 제목이 이러네요. 훈련, 사랑, 은혜…."

남자가 말을 끊으며 되물었습니다.

"은혜가 뭡니까?"

그러자 그녀는 "저도 몰라요. 아직 은혜까지 못 나갔어요"라고 말했다고 합니다.

필립 얀시는 많은 사람이 아직 은혜에 이르지 못했으며, 심지어 많은 교회도 은혜에 이르지 못하고 있다고 말합니다. 그러면서 많은 사람이 교회를 떠나는 것은 이 은혜를 만나지 못했기 때문이라

26

고 말합니다. 그러나 또 다른 많은 사람이 다시 교회로 돌아온 것도 이 은혜를 만났기 때문이라고 말합니다. 도대체 은혜란 무엇입니까?

필립 얀시는 영국에서 열린 한 종교학회 이야기를 소개합니다. 그들은 기독교 신앙의 독특성을 찾아 토론하게 되었다고 합니다. 어떤 사람이 성육신의 진리가 아니겠느냐고 하자, 다른 사람이 신이 인간의 모습으로 현현한 이야기는 타종교에도 있다고 대답합니다. 어떤 이가 부활이야말로 기독교 신앙의 독특성이라고 하자, 또 다른 학자는 죽은 자의 환생 기사 역시 타종교에도 적지 않다고 말합니다. 그때 방을 잘못 찾아 들어온 C. S. 루이스(Clive Staples Lewis)가 토론 주제가 무엇인지를 물었습니다. 토론 주제를 들은 그는 "그거야 쉽죠. 은혜 아닙니까?"라고 말했고, 대다수의 사람도 결국 같은 결론을 내릴 수밖에 없었다고 합니다.

그렇습니다. 기독교 신앙의 독특성, 기독교를 기독교 되게 하는 것, 기독교를 복음이 되게 하는 것은 은혜입니다. 그러나 아직 은혜는 정의되지 않았습니다. 은혜란 무엇입니까? 은혜의 사전적인 정의는 "고맙게 베풀어 주는 신세나 혜택"(국립국어원 표준국어대사전), 영어로 표현하자면 'undeserved favor'(무가치한 이에게 베푸는 호의)라고 할 수 있습니다.

그렇다면 성경이 말하는 은혜란 무엇입니까? 우선은, 구원이 은혜입니다. 에베소서 2장 8절은 "너희는 그 은혜에 의하여 믿음으로 말미암아 구원을 받았으니 이것은 너희에게서 난 것이 아니요 하나님의 선물이라"라고 말씀합니다. 그런데 다음 구절은 "행위에서 난 것이 아니니 이는 누구든지 자랑하지 못하게 함이라"(엡 2:9)라고 말씀합니다. 구원은 우리의 잘난 행위에 근거한 것이 아니라, 전적인 하나님의 사랑의 선물이라는 것입니다. 사도 요한은 우리가 하나님의 자녀가 된 것은 혈통이나 육정이나 사람의 뜻이 아닌, 하나님의 은혜임을 증언했습니다(요 1:12-13 참조). 그러나 구원만이 은혜가 아니라, 실상은 그리스도인의 삶 전체가 바로 이 하나님의 은혜에 의존하고 있다는 사실입니다. 그래서 바울은 "내가 나 된 것은 하나님의 은혜로 된 것이니"(고전 15:10)라고 고백합니다. 야고보는 "온갖 좋은 은사와 온전한 선물이 다 위로부터 빛들의 아버지께로부터 내려오나니"(약 1:17)라고 말합니다. 오늘 우리가 누리는 온갖 좋은 것은 다 하나님의 은혜 때문이라는 것입니다.

본문 14절에서 사도 요한은 "우리가 그의 영광을 보니 … 은혜와 진리가 충만하더라"라고 말합니다. 그러고 나서 그는 "우리가 다 그의 충만한 데서 받으니 은혜 위에 은혜러라"(요 1:16)라고 이야기합니다. 본래 '은혜 위에 은혜'(grace in place of grace)란 '은혜의 자리에 또 다른 은혜' 혹은 '은혜 대신에 은혜', 곧 단 한 번의 은혜가 아닌, 지속적인 은혜가 준비되어 있다는 것입니다. '넘쳐흐르는 은혜'(overflowing grace)인 것입니다.

몇 해 전, 가평 필그림하우스에서 목회자 세미나를 위해 머무는 동안 폭우가 내렸습니다. 필그림하우스 바로 앞에는 강이, 옆에는 계곡이 있는데, 강은 조금씩이라도 1년 내내 물이 흐르지만, 계곡에는 좀처럼 물이 흐르지 않아 늘 마른 상태였습니다. 그런데 그때 그 폭우로 계곡에 물이 넘쳐흐르더니 그 앞 길가까지 강을 이루었습니다. 비로 인한 피해는 걱정되었지만, 눈으로 보기에는 장관이었습니다. 넘쳐흐르는 은혜를 눈으로 보는 것 같았습니다.

영국의 유명한 노예상인 존 뉴턴(John Newton)이라는 사람이 있습니다. 그는 자신이 한때 노예였음에도 노예를 사고파는 악덕 상인으로 그리고 배에서 위스키를 훔치며 싸움꾼으로 살던 사람이었습니다. 그런 그가 예수님을 만나고 구원받아 목회자가 되었습니다. 그는 훗날 이 은혜를 '놀라우신 은혜'(amazing grace)라고 불렀습니다. 그리고 그 고백이 찬송가로 불리게 되었습니다. 그의 고백은 이렇습니다.

놀라우신 은혜, 얼마나 달콤한 고백인가(Amazing grace, how sweet the sound)!
이 비천한 나 같은 죄인 구하시고(That saved a wretch like me)
한때 잃었던 나, 이젠 찾았다네(I once was lost, but now am found).
한때 보지 못했던 나, 이제 눈으로 보는도다(Was blind, but now I see).

그렇습니다. 주님 안에 넘쳐흐르는 충만한 은혜, 놀라운 은혜가 준비되어 있습니다. 우리는 그분의 충만한 데서 이 은혜를 받고 누려야 합니다. 당신 안에 은혜를 향한 목마름이 있습니까? 당신의 마음이 사막처럼 황폐하다고 느끼고 있습니까? 그 사막에 은혜의 장맛비가 내리기를 기도하십시오. 사막에 강이 흐르는 것을 볼 것입니다. 그 장맛비의 충만함을 준비하신 주님으로부터 은혜를 받으십시오. 그 은혜를 누리십시오.

진리를 받으라

그분의 충만한 데서 우리가 받을 수 있는 또 하나는 진리입니다. 앞서 살펴본 것처럼, 그분에게는 은혜와 진리가 충만하십니다(요 1:14 참조). 본문 17절은 "율법은 모세로 말미암아 주어진 것이요 은혜와 진리는 예수 그리스도로 말미암아 온 것이라"라고 말씀합니다. 모세는 인류에게 율법을 선물로 주었습니다. 그것은 위대한 선물이었지만, 율법은 우리를 구원에 이르게 할 수 없었습니다. 다만 율법은 우리가 율법을 지켜 의롭다 함을 받지 못할 죄인임을 깨닫게 함으로, 우리를 그리스도에게로 인도하는 초등 교사가 된 것입니다. 그런데 그리스도는 은혜와 진리를 함께 선물로 주셨습니다. 왜 은혜만 주시지 않고 진리를 함께 주셨을까요? 은혜 받은 자들에게 진리가 없다면, 그들은 은혜 받음을 죄의 기회나 도구로 남용할 가능성이 있기 때문입니다. 반대로 주님이 진리만 주시고 은혜를 주시지 않았다면, 진리는 우리를 질리게 할 것입니다. 진리대로 살지 못한 우리는 다시 진리에 의해 정죄 받을 것을 두려워하는 삶을 살게 될 것입니다.

그러나 주님은 먼저 은혜를 주시고, 이제 그 은혜의 감동과 능력으로 진리를 따라 살게 하시는 것입니다. 주님은 당신 자신에 대해 "내가 곧 길이요 진리요 생명"(요 14:6)이라고 선언하십니다. 그분의 영인 성령은 또한 진리의 영이십니다.

"그는 진리의 영이라 세상은 능히 그를 받지 못하나니 이는 그를 보지도 못하고 알지도 못함이라"(요 14:17).

그리고 진리의 영인 성령님은 우리로 그분이 친히 기록하신 진리의 말씀을 붙잡고 살도록 인도하십니다. 예수님은 당신을 따르는 제자들을 위해 다음과 같이 기도하셨습니다.

"그들을 진리로 거룩하게 하옵소서 아버지의 말씀은 진리니이다"(요 17:17).

그러므로 우리가 주님을 따르는 제자라면 반드시 그 말씀을 붙들고 그 말씀 안에 거하는 삶을 배워야 합니다.

예수님이 친히 가르치신 제자로서의 삶의 모습을 기억하십시오.

"너희가 내 말에 거하면 참으로 내 제자가 되고"(요 8:31).

이렇게 말씀하신 후, 예수님은 그렇게 살아가는 삶의 특권을 선포하십니다.

"진리를 알지니 진리가 너희를 자유롭게 하리라"(요 8:32).

그러므로 주님의 말씀 가운데 거하는 삶은 결코 율법적인 계율에 묶이는 속박의 삶이 아닙니다. 성령의 도우심으로 우리는 그렇게 기쁘게 살아갈 수 있습니다.

진리의 말씀을 따르는 삶은 곧 자유의 삶입니다. 그것은 말씀의 주인이신 그리스도와 인격적으로 교제하는 은혜의 삶인 것입니다. 주님의 진리는 과거 모세가 가르친 계율의 속박이 아닌, 그리스도의 임재로 충만함을 의미하기 때문입니다.

"그러므로 아들이 너희를 자유롭게 하면 너희가 참으로 자유로우리라"(요 8:36).

진리를 상실하고 방황하는 오늘의 시대 속에서, 진리 안에서 자유롭게 사는 이 특권을 묵상해 보십시오.

아프리카에서 선교하는 한 선교사님이 울창한 밀림에 있는 마을을 정탐하기 위해 한 청년을 길잡이 안내로 고용했습니다. 그런데 아무리 밀림을 헤치고 가도 길이 나오지 않자, 선교사님이 청년에게 물었습니다.

"형제여, 정말 당신은 길을 알고 있나요?"

그러자 청년은 빙그레 웃으며 이렇게 대답했다고 합니다.

"선교사님, 여기서는 제가 길입니다."

그렇습니다. 예수님은 "내가 곧 길이요 진리요 생명"(요 14:6)이라고 말씀하십니다. 길을 잃어버린 세상에서 예수님은 당신이 곧 길이라고 말씀하십니다. 진리를 상실하고 방황하는 오늘의 세상에서 예수님은 당신이 곧 진리라고 말씀하십니다. 그분이 바로 진리 자체요, 진리의 기준이십니다. 그분 안에 모든 진리가 충만합니다.

진리에 목마릅니까? 바울 사도는 골로새서 2장 3절에서 "그 안에는 지혜와 지식의 모든 보화가 감추어져 있느니라"라고 말합니다. 지혜와 지식의 근원이신 진리의 주님께로 오십시오. 주 안에 거하십시오. 진리의 길을 춤추며 걷게 될 것입니다.

"태초에 말씀이 계시니라 이 말씀이 하나님과 함께 계셨으니 이 말씀
은 곧 하나님이시니라 … 이르되 나는 선지자 이사야의 말과 같이 주
의 길을 곧게 하라고 광야에서 외치는 자의 소리로라 하니라"(요 1:1, 23).

3

말씀과
소리

말씀이신 그리스도는 우리의 주인이며,
우리는 이 말씀을 전하는 광야의 소리다

세상에 태어나 우리가 할 수 있는 일 중에 가장 위대하고 영광스러운 일은 무엇일까요? 세상을 지으시고 세상을 새롭게 하시는 구주 예수 그리스도를 증언하는 일이 아닐까요? 영국의 '황실 의사'요, 목사였던 마틴 로이드 존스(Martyn Lloyd Jones)는 이런 말을 남겼습니다.

그리스도를 선포하는 일은 사람이 부름받을 수 있는 부름 중에서 가장 높고(the highest), 위대하며(the greatest), 영광스러운 소명(the most glorious calling)이다.

그런데 성경은 이런 하나님의 일을 방해하는 대적이 있다고 가르칩니다. 그가 바로 사탄 마귀입니다. 마귀는 종종 그리스도를 증언하는 이들이 그리스도보다 그리스도를 전하는 자신을 더 높이도록 유혹합니다. 그런 의미에서 가장 심각한 영적 유혹과 싸워야 할 사람들은 바로 풀타임으로 복음을 전하는 목사나 선교사 또는 전도자들입니다. 오죽하면 이런 유머가 한동안 교계에 유행한 적이 있었습니다. 사람들이 천국에 도착할 때마다 예수님이 보좌에서 일어나 그들을 포옹하며 맞아 주셨다고 합니다. 그런데 한 목사가 도착하자, 예수님은 그대로 앉아서 바라보고만 계셨습니다. 그러자 한 천사가 예수님께 여쭈었습니다.

"예수님, 당신을 증언하기 위해 평생을 애쓰며 살아온 목사님이 도착했는데, 왜 일어나 맞아 주지 않으시나요?"

그 물음에 예수님은 이렇게 대답하셨다고 합니다.

"내가 이 자리에서 일어나면, 저 사람이 내 자리에 앉을까 걱정이다."

사도 요한은 자신의 복음서 서론에 적지 않은 분량을 할애하며 세례(침례) 요한의 에피소드를 소개하고 있습니다. 이를 살펴보기에 앞서 누가복음 7장 28절에서 예수님이 하신 말씀을 기억하십시오.

"내가 너희에게 말하노니 여자가 낳은 자 중에 요한보다 큰 자가 없도다."

이보다 더 큰 찬사가 어디 있겠습니까? 이 찬사를 기억한 채 사도 요한의 증언인 요한복음 1장 6-8절 말씀을 읽어 보십시오.

"하나님께로부터 보내심을 받은 사람이 있으니 그의 이름은 요한 이라 그가 증언하러 왔으니 곧 빛에 대하여 증언하고 모든 사람이 자기로 말미암아 믿게 하려 함이라 그는 이 빛이 아니요 이 빛에 대하여 증언하러 온 자라."

여기서 중요한 것은, 8절에서 '그가 빛이 아니라 빛에 대해 증언 하러 온 자'라는 말씀입니다. 그렇다면 세례(침례) 요한, 곧 전도자 요한을 우리는 어떻게 이해하는 것이 합당할까요? 전도자 요한과 그가 증언한 예수님과의 관계를 잘 설명하는 탁월한 비유가 바로 ' 말씀과 소리'입니다. 말씀이 예수님이라면, 요한은 소리에 불과하 다는 것입니다.

"이르되 나는 선지자 이사야의 말과 같이 주의 길을 곧게 하라고 광야에서 외치는 자의 소리로라"(요 1:23).

그러면 '말씀과 소리'로 비유되는 예수님과 전도자의 관계는 어떻 게 이해되어야 마땅할까요?

말씀의 선재(先在)

말씀이 소리보다 앞서서 존재했다는 사실을 기억하십시오. 요한복음 1장 30절에서 세례(침례) 요한은 요단 강가에 나타나신 예수님을 보고 이렇게 증언합니다.

“내가 전에 말하기를 내 뒤에 오는 사람이 있는데 나보다 앞선 것은 그가 나보다 먼저 계심이라 한 것이 이 사람을 가리킴이라.”

사실 육신적으로 말하면 세례(침례) 요한의 탄생이 예수님보다 6개월 앞섰지만, 예수님은 이 세상에 출생하기 전부터 이미 존재하고 계셨습니다. 이것을 기독교에서는 ‘선재(pre-existence)의 교리’라고 말합니다. 그분은 언제부터 존재하고 계셨나요? 태초부터입니다. 이것이 요한복음 1장 1절의 증언입니다.

“태초에 말씀이 계시니라 이 말씀이 하나님과 함께 계셨으니 이 말씀은 곧 하나님이시니라.”

유대인들이 예수님에게 “네가 아직 오십 세도 못 되었는데 아브라함을 보았느냐”(요 8:57)라고 물었을 때, 예수님은 “아브라함이 나기 전부터 내가 있느니라”(요 8:58)라고 말씀하셨습니다. 여기서 ‘내가 있느니라’로 번역된 영어 문장은 ‘I was’가 아닌 ‘I am’입니다. 그분은 태초부터 언제나 항상 계시는 분이십니다.

그렇다면 그분이 말씀으로 역사에 선재하신다는 사실이 오늘을 사는 우리에게 시사하는 바는 무엇입니까? 그분이 모든 것에 선재하고 계시다면, 그분이 창조와 섭리의 주님이시라면, 그분은 우리의 일상에서도 마땅히 첫째 자리를 가져야 할 분이 아니십니까?

우리 주변의 젊은이들을 대상으로 선교하는 '죠이선교회'(JOY Mission)라는 단체가 있습니다. 이 공동체에 속한 분들이 자신들의 공동체 이름을 소개할 때 다음과 같이 말했던 것을 기억합니다.

"우리가 진정한 삶의 기쁨(jOY)을 갖고 살기 위해서는 예수님을 첫째로(Jesus first), 이웃을 둘째로(others second) 그리고 나 자신을 셋째, 곧 마지막으로(you third) 두는 삶을 살아야 합니다. 그럴 때 JOY가 됩니다."

그래서 예수님도 산상수훈에서 "그런즉 너희는 먼저 그의 나라와 그의 의를 구하라"(마 6:33)라고 말씀하신 것이 아닙니까? 소리와 같은 우리가 존재하기 전, 우리의 존재 이유가 되시는 그분은 말씀으로 선재하셨습니다. 그렇다면 우리는 그분을 우리의 삶과 일상의 첫째 자리에 계시게 해야 합니다. 그분이 우리 삶의 우선순위가 되셔야 한다는 말입니다.

소리, 말씀 전달의 도구

소리의 사명은 말씀을 표현하고 전달하는 것입니다.

> "본래 하나님을 본 사람이 없으되 아버지 품속에 있는 독생하신
> 하나님이 나타내셨느니라"(요 1:18).

말씀이신 하나님은 볼 수 없는 분이셨습니다. 그러나 말씀이 소리가 될 때, 우리는 그 말씀의 실체를 보게 됩니다. 소리가 말씀을 '표현', 곧 '나타내기' 때문입니다. 하나님을 본 사람은 없었지만, 성육신하신 예수님은 우리에게 그 하나님이 어떤 분이신지를 역사 속에서 구체적으로 나타내 보여 주신 것입니다.

어느 날, 빌립이라는 제자가 예수님께 엉뚱한 요청을 하게 됩니다. 그러나 실상 그의 질문은 모든 종교적 구도자의 숨겨진 갈망을 대신한 것이라 할 수 있습니다.

> "빌립이 이르되 주여 아버지를 우리에게 보여 주옵소서 그리하면
> 족하겠나이다"(요 14:8).

이에 대한 예수님의 대답은 무엇입니까?

> "나를 본 자는 아버지를 보았거늘 어찌하여 아버지를 보이라 하

느냐"(요 14:9).

그렇습니다. 예수님이 바로 볼 수 없는 하나님 아버지를 보여 주고자 역사 속에 찾아오신 하나님의 아들인 것입니다. 그리고 세례(침례) 요한 같은 전도자는 그 하나님의 아들 예수님을 전달하는 소리로 쓰임을 받게 된 것입니다.

그런데 예수님의 공생애 시작에 앞서 세례(침례) 요한이 활동을 시작하며 회개의 메시지를 전하자, 수많은 사람이 그에게 몰려와 요단강에서 세례(침례)를 받고 새로운 삶을 시작하게 되었습니다. 자연스럽게 당시 종교계의 모든 시선은 세례(침례) 요한에게 집중될 수밖에 없었을 것입니다. 그래서 어느 날 유대인들은 제사장들과 레위인들(종교인 대표)을 보내어 요한의 정체성을 확인하게 됩니다.

"유대인들이 예루살렘에서 제사장들과 레위인들을 요한에게 보내어 네가 누구냐 물을 때에 요한의 증언이 이러하니라"(요 1:19).

이 질문에 대한 요한의 대답의 핵심은 무엇입니까? 그때 요한에게 오늘날 이단 교주들 같은 '메시아 콤플렉스'(messiah complex)가 있었다면 "내가 바로 메시아다"라고 말했을 수도 있었을 것입니다. 오늘날 이 땅에는 자칭 메시아라는 사람이 40명도 넘는다고 합니다. 그런데 세례(침례) 요한은 분명하게 "나는 엘리야도, 선지자도, 그리스도도 아니라"라고 대답합니다. 그러면서 자신은 "광야에서 외치는 자의 소리"(요 1:23)에 불과하다고 이야기합니다. 그 후 예수님이 등장하시자, 그는 이렇게 증언합니다.

"보라 세상 죄를 지고 가는 하나님의 어린양이로다"(요 1:29).

그는 자신을 보라고 하지 않았습니다. 예수를 보라고 한 것입니다.

"내가 보고 그가 하나님의 아들이심을 증언하였노라"(요 1:34).

참된 전도자는 다만 예수님이 하나님의 아들이심을, 예수님이 구세주이심을 표현하고 전달하는 사람입니다. 소리는 말씀을 전달하고 표현하는 것이 사명이기 때문입니다.

말씀을 전하고 사라지는 소리

소리가 말씀을 전달한 다음에는 어떻게 해야 할까요? 침묵해야 합니다. 사라지는 것입니다. 요한은 그렇게 했습니다. 예수님이 역사의 무대에 등장하시자 그를 보라고 한 다음, 그는 무대 위에서 내려올 준비를 합니다. 자신의 사명을 다했기 때문입니다.

"곧 내 뒤에 오시는 그이라 나는 그의 신발 끈을 풀기도 감당하지 못하겠노라"(요 1:27).

그 후 그는 어떤 고백을 합니까?

"그는 흥하여야 하겠고 나는 쇠하여야 하리라"(요 3:30).

그리고 실제로 오래지 않아 그는 헤롯 대왕에 의해 순교의 제물로 사라집니다. 역사 속에 위대한 영향을 끼치던 하나님의 사람들이 갑자기 순교의 제물로 사라지는 이유는 무엇일까요? 어쩌면 그들은 오직 그리스도 한 분만을 높이는 사명, 곧 그들의 역할을 다했기 때문이라고 할 수 있습니다. 사람이 그리스도의 자리를 대신하는 순간, 그들은 영웅이 아닌 우상이 되기 때문입니다.

20대 초반 무렵, 선교사님들과 영어 성경 공부를 하던 시절, 선교사님이 Christian의 뜻을 설명하며 Christ+ian인데 ian은 I am nothing이라고 하신 말씀이 뇌리에 깊이 남아 있습니다. 맞습니다. 참된 그리스도인은, 그리스도가 전부(everything)고 자신은 아무것도 아닌 존재(nothing)라고 고백할 수 있는 사람입니다. 우리가 복음을 전하거나 그리스도의 이름으로 봉사를 할 때 한순간도 잊지 말아야 할 사실이 있습니다. 우리는 우리 자신이 아닌 그리스도를 전하는 자라는 사실입니다. 그리스도가 구원이고, 그리스도가 소망이며, 그리스도가 영생이십니다. 따라서 그분 한 분만이 높임을 받으시고, 그분 한 분만이 찬양을 받으셔야 합니다.

우리는 그분의 소리입니다. 말씀이신 그리스도가 주인이십니다. 우리는 이 말씀을 전달하도록 택함 받은 광야의 소리들입니다. 날마다 말씀이신 그리스도를 전하고 조용히 소리를 죽이는 삶을 살 수 있기를 소망하십시오. 세례(침례) 요한처럼 말입니다.

뉴욕 메트로폴리탄의 유명한 지휘자였던 아르투로 토스카니니(Arturo Toscanini)에 관한 한 일화가 있습니다. 그가 한번은 베토벤 교향곡 제9번 〈합창〉을 지휘하게 되었습니다. 그 연주는 문자 그대로 대성공이었습니다. 연주가 끝나자마자 관객들은 전원 기립해서 열광적인 박수와 환호성으로 응답했습니다. 지휘자 토스카니니는 청중에게 인사하고, 또 인사하고, 다시 인사하는 것으로 환호에 반응했습니다. 그리고 훌륭한 연주를 해 준 오케스트라 단원과 합창단을 일으켜 세웠습니다. 청중은 다시 열광적인 박수로 호응했습니다. 그런데도 박수가 끝나지 않자, 토스카니니는 다시 무대 중앙에 나와 인사를 하고 다시 한번 폭풍 같은 함성과 박수를 받아야 했습니다. 그런데 사람들의 박수 소리가 잦아들 무렵, 그는 갑자기 사람들이 전혀 기대하지 않았던 외침을 반복하기 시작했습니다.

"신사숙녀 여러분, 저는 아무것도 아닙니다"(Ladies and gentlemen, I am nothing).

그러고 나서 그는 오케스트라 단원과 합창단 그리고 참석자들을 돌아보며 다시 한번 외침을 이어 갔습니다.

"신사숙녀 여러분, 여러분은 아무것도 아닙니다"(Ladies and gentlemen, you are nothing).

사람들이 조용해지자, 그는 있는 힘을 다해 이런 외침을 남겼습니다.

"베토벤, 그만이 모든 것, 모든 것, 모든 것입니다"(Beethoven, he alone is everything, everything, everything).

인류의 역사를 결산하는 날, 주의 보좌 앞에 서서 그분을 경배하는 순간 우리 모두가 이와 같은 말을 남길 것을 생각해 보십시오.

"나는 아무것도 아닙니다. 당신도 아무것도 아닙니다. 그리스도, 그분만이 모든 것 되십니다."

"또 이튿날 요한이 자기 제자 중 두 사람과 함께 섰다가 예수께서 거니심을 보고 말하되 보라 하나님의 어린 양이로다 두 제자가 그의 말을 듣고 예수를 따르거늘 예수께서 돌이켜 그 따르는 것을 보시고 물어 이르시되 무엇을 구하느냐 이르되 랍비여 어디 계시 오니이까 하니 (랍비는 번역하면 선생이라) 예수께서 이르시되 와서 보라 그러므로 그들이 가서 계신 데를 보고 그날 함께 거하니 때가 열 시쯤 되었더라 요한의 말을 듣고 예수를 따르는 두 사람 중의 하나는 시몬 베드로의 형제 안드레라 그가 먼저 자기의 형제 시몬을 찾아 말하되 우리가 메시아를 만났다 하고 (메시아는 번역하면 그리스도라) 데리고 예수께로 오니 예수께서 보시고 이르시되 네가 요한의 아들 시몬이니 장차 게바라 하리라 하시니라 (게바는 번역하면 베드로라)"(요 1:35-42).

4

위대한
만남

예수를 구원자로 만났다면
결코 잠잠할 수 없다

역사를 뜻하는 헬라어에는 두 가지 단어가 있습니다. 하나는 단순한 시간적 연대기를 의미하는 '크로노스'(chronos)입니다. 영어의 chronology(연대순, 연대표)가 여기서 나온 말입니다. 또 하나, 그와 대조적인 단어는 '카이로스'(kairos)입니다. 영어의 crisis(위기, 최악의 고비)가 여기서 나온 말입니다. 카이로스는 단순하게 흘러가는 시간이 아닌, 역사의 방향을 바꾸는 의미심장한 사건이라고 할 수 있습니다. 저는 우리 한국사에 있어서 그런 카이로스적 사건 중 하나가 우리 민중과 기독교의 만남, 우리 민족과 예수님의 만남이라고 생각합니다. 수많은 사건이 우리의 역사를 만들었고, 지금도 그 역사를 만들어 가고 있지만, 우리 민중과 기독교의 만남처럼 역사에 의미심장한 영향을 끼친 사건은 없었습니다. 물론 세속사가들은 그것을 인정하지도, 기록하지 않을지도 모릅니다. 그러나 세계사에 그리스도의 오심이 역사의 B.C. (before Christ, 그리스도 이전)와 A.D. (Anno Domini, 그리스도의 해)의 분수령을 만든 것처럼, 한국사에 복음이신 그리스도의 오심이 그랬습니다.

《한국기독교회사》(연세대학교출판부)를 쓴 민경배 교수는 머리말에서 복음이 우리 민족을 찾아오던 정황을 이렇게 묘사했습니다.

19세기 아세아의 긴박한 국제적 긴장 속에서 한국은 워낙 힘없었고 아무도 도울 이 없었다. 그런 비운과 좌절감이 엄습할 때 이 겨레가 돌아가서 기대어 손 붙잡을 곳은 교회밖에 없다고 느낀 때가 있었다. 우리는 그 손이 따뜻한 것을 느꼈다. 우리를 품어 주는 손길이 넓고도 단단한 것을 알았다. … 개화기 이전, 곧 기독교가 들어오기 이전 우리들은 세계에서 소외되어 있었다. 역사상 한 번도 세계와의 혈연의식을 가져 보지 못하고 약소민족의 서러움을 쇄국으로 겪어 오던 우리 겨레였다. 그런데 바로 이웃에 세계열강으로 진입한 신흥 일본이 호시탐탐 먹이를 노리고 있었다. [그런데] 바로 그때 기독교는 이미 한 발자국 이 나라에 발을 디디고 있었다. … 우리 외로운 겨레는 그 교회를 통하여서 비로소 세계와 소매를 맞잡고 머리를 들 수 있었다. …교회는 차고 넘쳤다. 추운 겨울 교회 밖 마당에 거죽을 깔고 앉아 예배하는 무리의 수가 예배당 안의 사람들보다 많았다. 그리고 그들 얼굴에는 활기가 넘치고 있었다. 그리고 이들이 근대 한국의 새로운 기백의 집단으로 등장하고 있었다. 그들이 민족의 얼, 그 틀을 잡아 형질을 갖추어 주고 그러고는 시련과 압제의 쓰라림을 가슴 펴고 이겨 나가게 하여 주었던 것이다.

한마디로, 우리 민족은 나라를 상실하는 가장 큰 비극의 카이로스에서 복음의 주인이신 예수님을 만날 수 있었던 것입니다.

본문은 예수님의 처음 제자들이 예수님과 만나는 장면을 소개하고 있습니다. 세례(침례) 요한과 예수님과의 만남, 사도 요한과 안드레의 예수님과의 만남 그리고 이어서 시몬 베드로와 예수님과의 만남을 소개합니다. 이 처음 제자들이 예수님과 만나게 된 상황을 통해 우리 민족이 예수님과 만나게 된 그 소중한 의미를 묵상해 보고자 합니다. 우리 민족의 예수님과의 만남, 그 위대한 만남의 본질은 무엇입니까?

메시아와의 만남

가장 먼저 예수님을 만난 안드레는 그 만남의 소감을 이렇게 고백합니다.

> "그가 먼저 자기의 형제 시몬을 찾아 말하되 우리가 메시아를 만났다 하고 (메시아는 번역하면 그리스도라)"(요 1:41).

여기서 우리가 주의 깊게 생각할 것은, 그가 그냥 예수를 만났다고 말하지 않았다는 것입니다. 메시아를 만났다고 고백한 것입니다. 메시아는 본래 아람어이며, 헬라어로는 그리스도입니다. 이는 '기름 부음 받으신 이'(anointed one)라는 의미입니다.

구약에 보면, 어떤 자리에 취임할 때 기름 부음을 받는 세 유형의 사람이 있습니다. 첫 번째 유형은, '왕'입니다. 왕은 다스리는 사람입니다. 이스라엘과 인류의 역사를 보면 소위 다스리는 지도자를 지속적으로 경험해 왔지만, 그것은 언제나 실망과 좌절의 역사였습니다. 그래서 이스라엘은 그 어느 날 하나님이 직접 기름 부어 세우실 공의로운 왕의 출현을 기다려 왔습니다.

기름 부음을 받는 두 번째 유형은, '선지자'입니다. 선지자는 가르치는 자였습니다. 그러나 이스라엘의 역사를 들여다보면 거짓 선지자들로 가득 차 있었습니다. 그래서 이스라엘은 하나님이 직접 기름 부어 세우사 그들을 참된 진리로 가르칠 선지자의 등장을 기다렸습니다.

기름 부음을 받는 마지막 유형은, '제사장'입니다. 제사장은 하나님과 인간 사이에서 죄와 문제를 해결하는 중재자 역할을 감당했습니다. 그러나 우리가 구약에서 만나는 모든 제사장은 자신의 문제를 해결하기 위해서도 제물이 필요했던 불완전한 존재들이었습니다.

그래서 이스라엘 백성은 어느 날 역사의 때가 찬 시각, 곧 카이로스에 마침내 하나님이 직접 기름 부어 주사 왕과 선지자와 제사장의 사명을 함께 실현할 자를 기다리게 되었습니다. 그것이 바로 메시아, 곧 그리스도에의 기다림입니다. 그런데 지금 안드레가 자신의 형제 베드로에게 그런 메시아를 만났다고 고백하고 있는 것입니다.

우리는 안드레의 이 고백을 통해 그의 형제 베드로도 마침내 동일한 고백을 하게 된다는 것을 알고 있습니다.

> "시몬 베드로가 대답하여 이르되 주는 그리스도[메시아]시요 살아 계신 하나님의 아들이시니이다"(마 16:16).

'예수님은 진실로 나를 공의로 다스릴 왕, 나를 진리로 인도할 선지자, 나의 죄와 내 모든 문제의 해결자인 대제사장'이시라는 고백입니다. 한마디로 '그는 나의 구원자'라는 고백이 아니겠습니까? 예수님과의 만남은 바로 이런 구원자와의 만남인 것입니다. 이보다 더 위대하고 중요한 만남이 어디 있겠습니까? 과거의 어떤 종교도, 철학도, 심오한 사상도 제공하지 못한 구원이 이들에게 임한 것입니다. 예수 그리스도의 복음이 한국 땅에 전해졌다는 것은, 이제 우리 민족이 메시아 되신 구원자 예수님을 만나 구원을 체험하게 되었음을 뜻합니다. 구원이 이 민족에게 임한 것입니다.

선교적 삶의 시작

예수를 구원자로 만난 사람들에게는 공통된 특징이 있습니다. 결코 잠잠할 수 없다는 것입니다. 생각해 보십시오. 내 인생을 구원하신

분을 만났는데, 어떻게 잠잠할 수 있겠습니까? 누가 그렇게 하라고 시키지 않아도, 그들은 만나는 사람마다 안드레처럼 "내가 메시아를 만났다"라고 말하기 시작합니다. 이것이 바로 선교적 삶의 시작입니다. 그러므로 예수와의 만남이 가지는 또 하나의 중요한 의미는, 바로 선교적 삶의 시작을 뜻한다는 것입니다. 만일 어떤 사람이 예수를 만났다고 하면서 예수를 증거하거나 전도할 마음이 없다면, 결론은 하나입니다. 그가 비록 교회를 여러 해 다녔다 할지라도, 또는 심지어 교회에서 직분을 받았다 할지라도, 그는 진정한 의미에서 예수를 아직 만나지 못한 사람입니다.

우리는 본문에서 전도와 선교의 가장 정확한 정의를 얻습니다. 본문 42절은 무슨 말로 시작됩니까? "데리고 예수께로 오니"입니다. 누가 누구를 데리고 예수님에게로 왔습니까? 안드레가 베드로를 데리고 예수님에게로 왔습니다. 이것이 바로 전도요, 선교입니다. '한 영혼을 데리고 예수님에게로 오는 것'입니다. 단순하게 교회로만 인도하는 것이 아니라, 예수님에게로 인도하는 것입니다. 우리는 사람들을 만나 복음을 전하고 그들을 예수님에게로 인도하는 일에 헌신한 자들입니다. 우리는 한평생을 그렇게 살 것입니다. 우리가 사는 모든 곳에서 우리가 만나는 모든 사람을 메시아 되신 예수님에게로 인도하고자 할 것입니다. 이것이 바로 선교적 삶입니다. 예수님을 만났다는 말은 바로 우리에게 이 선교적 삶이 시작되었음을 뜻하는 것입니다.

1910년, 한국 선교 25주년이 되던 해에 당시 한국 교인의 총 숫자가

20만 명을 돌파합니다. 그러자 이 부흥에 고무된 각 교파의 지도자들이 모여 1910년 3월 20일 주일을 계기로 소위 '백만인 구령 운동'을 시작합니다. 20만 명의 성도가 100만 명을 전도하기로 작정한 것입니다. 그 구체적인 전략으로 첫째, 전국 주요 교회와 공적인 장소에서 대중 전도 집회를 갖는 일, 둘째, 모든 성도가 복음서와 전도지를 갖고 다니며 배부하는 일 그리고 셋째가 흥미롭습니다. 이 전도 사역의 성취를 위해 뜻있는 모든 성도가 '날 연보'를 드리기로 한 것입니다. 시간이 되는 대로 어떤 사람은 일주일에 하루, 어떤 사람은 이틀, 사흘 또는 그 이상을 자발적으로 밖에 나가 복음을 전하고자 한 것입니다. 로버트 하크니스(Robert Harkness)는 이 운동을 위해 〈백만 인을 예수에게로〉(A Million Souls For Jesus)라는 노래를 지었습니다.

(1절)

백만 인을 예수에게로

주여, 이것은 확실히 가능하니이다!

백만 인을 예수에게로

이것은 당신에게 너무 많은 것이 아니니이다.

당신의 말씀은 놀라운 능력이 있으사

죄인의 심령을 감동케 하시지 않으시나요.

성령이 기꺼이

생명의 말씀을 나누어 주시지 않으시는가요.

(2절)

백만 인을 예수에게로

죄로 어두워진 이 나라에

백만 인을 예수에게로

주여, 지금 그 사역이 시작되었나이다.

우리를 기꺼이 당신의 종으로 만드사

당신의 축복된 뜻을 행하소서.

우리에게 성령을 주사

우리를 권능으로 새롭게 채우소서.

(3절)

백만 인을 예수에게로

슬로건을 진실되게 외치라.

백만 인을 예수에게로

이루어 드려야 할 하나님의 사역

한국의 울부르짖음은 대단하지만

그러나 하나님은 훨씬 더 놀라웁도다.

악한 세력들이

그의 목적을 해치 못하리.

(후렴)

백만 인을 예수에게로

주여, 우리 심령의 소원을 허락하소서.

백만 인을 예수에게로

주여, 복음의 불을 확산하소서.

오늘의 한국 교회는 바로 이런 믿음의 선진들의 선교적 삶에 빚지고 있는 것입니다.

위대한 변화의 시작

예수님과의 만남, 그것은 곧 메시아와의 만남이었고, 선교적 삶의 시작이었습니다. 그리고 그 만남은 위대한 변화의 시작이 되었습니다. 본문에 등장하는 베드로는 본래 성격적으로 안정감이 없고 자주 말을 바꾸던, 심약한 기질의 사람이었습니다. 예수님을 만나고도 그런 특성의 삶을 지속해 왔음을 복음서는 보여 줍니다. 그런데 그가 예수님을 만나던 날, 예수님이 놀라운 선언을 하십니다.

"네가 요한의 아들 시몬이니 장차 게바라 하리라 (게바는 번역하면 베드로라)"(요 1:42).

그의 본명은 시몬이었습니다. 그런데 그가 게바(아람어) 혹은 베드로(헬라어), 곧 반석이 된다는 것입니다. 여기서 중요한 단어는 '장차'

라는 말입니다. 우리는 예수를 만났어도 우리가 당장 성자로 변하지 않는다는 것을 잘 압니다. 그러나 진지하게 예수를 따르다 보면, 마침내 변하게 된다는 것입니다. 베드로처럼 심약한 사람이 초대 교회의 반석과 같은 기초를 놓는 위대한 지도자가 될 수 있다는 것입니다. 이것이 바로 복음의 능력입니다. 이 복음을 받아들인 사람이 많은 사회에서는 그 사회 및 국가가 변화되는 것을 봅니다. 그래서 기독교는 개인의 구원을 넘어 사회 구원의 희망이 되는 것입니다. 한국의 초대 교회는 그런 희망을 우리에게 보여 준 빛나는 역사의 순간이었습니다. 오늘의 한국 교회는 다시 이 복음의 희망과 능력, 민족 복음화의 비전을 회복해야 합니다.

미래의 대한민국을 바라보며 민족을 위한 아름다운 기도를 남기신 김준곤 목사님의 '민족 복음화의 꿈'이라는 기도를 함께 기억하고 싶습니다.

어머니처럼 하나밖에 없는 내 조국
어디를 찔러도 내 몸같이 아픈 내 조국
이 민족 마음마다 가정마다 교회마다 사회의 구석구석
금수강산 자연환경에도 하나님 나라가 임하게 하시고
뜻이 하늘에서처럼 이 땅에 이루어지게 하옵소서
이 땅에 태어나는 어린이마다
어머니의 신앙의 탯줄 기도의 젖줄
말씀의 핏줄에서 자라게 하시고

집집마다 이 집의 주인은 예수님이라고 고백하는 민족
기업주들은 이 회사의 주인은 예수님이고
나는 관리인이라고 고백하는 민족
두메마을 우물가의 여인들의 입에서도
공장의 직공들 바다의 선원들의 입에서도
찬송이 터져 나오게 하시고
각급 학교 교실에서 성경이 필수 과목처럼 배워지고
국회나 각의가 모일 때에도 주의 뜻이 먼저 물어지게 하시고
국제시장에서 한국제 물건은 한국인의 신앙과 양심이
으레 보증수표처럼 믿어지는 민족
여호와로 자기 하나님으로 삼고 예수 그리스도를 주로 삼으며
신구약 성경을 신앙과 행위의 표준으로 삼는 민족
예수의식과 민족의식이 하나 된 지상 최초의 민족
그리하여 수십만의 젊은이들이
예수의 꿈을 꾸고 인류 구원의 환상을 보며
한 손에는 복음을 다른 한 손에는 사랑을 들고
지구촌 구석구석 누비는 거룩한 민족이 되게 하옵소서

이 거룩한 꿈을 위해 기도하지 않겠습니까? 이 거룩한 꿈의 실현
을 위해 다시 복음의 사역에 헌신하지 않겠습니까?

"빌립이 나다나엘을 찾아 이르되 모세가 율법에 기록하였고 여러 선지자가 기록한 그이를 우리가 만났으니 요셉의 아들 나사렛 예수니라 나다나엘이 이르되 나사렛에서 무슨 선한 것이 날 수 있느냐 빌립이 이르되 와서 보라 하니라 예수께서 나다나엘이 자기에게 오는 것을 보시고 그를 가리켜 이르시되 보라 이는 참으로 이스라엘 사람이라 그 속에 간사한 것이 없도다 나다나엘이 이르되 어떻게 나를 아시나이까 예수께서 대답하여 이르시되 빌립이 너를 부르기 전에 네가 무화과나무 아래에 있을 때에 보았노라 나다나엘이 대답하되 랍비여 당신은 하나님의 아들이시요 당신은 이스라엘의 임금이로소이다 예수께서 대답하여 이르시되 내가 너를 무화과나무 아래에서 보았다 하므로 믿느냐 이보다 더 큰일을 보리라 또 이르시되 진실로 진실로 너희에게 이르노니 하늘이 열리고 하나님의 사자들이 인자 위에 오르락내리락하는 것을 보리라 하시니라"(요 1:45-51).

5

새 시대의
환상

편견의 벽이 무너지는 그날이
바로 구원의 날이요,
예수님과의 사랑이 시작되는 날이다

2017년은 종교 개혁 500주년이 되는 해였습니다. 그 500주년을 기념하는 여러 행사가 전 세계적으로 준비되었습니다. 종교 개혁 기념의 가장 큰 의미는, 당시 어둠 속에 있었던 교회를 깨우고 새 시대를 열었다는 역사적 교훈 때문입니다. 당시 교회의 머리로 간주되던 교황은 하나님과 인간 사이의 유일한 중보자요, 지상의 대리자로 간주되고 있었습니다.

교황의 면죄부로만 인간의 죄 사함이 결정되고 돈에 의한 성직 매매가 성행하던 당시, 개혁자 마르틴 루터(Martin Luther)는 오직 '십자가의 복음'과 '십자가의 신학'만이 인간의 구원을 가능하게 하며, 십자가에 달려 죽으시고 부활하신 예수 그리스도에 대한 믿음만이 새 시대의 해답이라고 선포했습니다. 예수 그리스도는 당신의 십자가 죽음으로 인류의 죗값을 이미 지불하셨으며, 십자가를 통해서만 우리는 하나님과 평화하고, 오직 예수 그리스도를 믿음으로써만 칭의의 은총을 입는다고 선포한 것입니다. 새로운 교회들이 태어나고, 새로운 생각들에 의한 새로운 시대가 문을 열게 되었습니다. 한 역사가는, 당시의 유럽은 마르틴 루터라는 거인의 등에 올라 새 시대의 문을 열 수 있었다고 증거합니다.

성경은 옛 언약인 구약과 새로운 언약인 신약으로 나뉘어 있습니다. 구약 시대를 살고 있던 사람들에게 새 언약의 선포는 바로 새 시대의 도래를 의미하는 것이었습니다. 예수님의 오심은 새 언약의 초점이었습니다. 그리고 예수님의 최초의 제자들은 바로 이 구약과 신약의 전환기를 살던 사람들이었습니다. 예수님이 오신 후 많은 시간, 적어도 2천 년 이상이 흘렀지만, 예수님이 누구신지를 성경적으로 인지하지 못한 사람들은 사실상 지금도 어둠의 구약 시대를 살고 있는 것과 다를 바가 없습니다. 그들의 인생이 변화되기 위해 필요한 한 가지가 있다면, 밝아 온 새 시대의 환상을 통해 예수님이 누구신지를 발견하는 일입니다. 이런 옛 언약에서 새로운 언약에로의 전환기에 새 시대의 환상을 보고 예수님의 제자가 된 한 사람이 바로 나다나엘이었습니다. 그는 어떻게 새 시대의 환상을 받아들이게 되었을까요? 그를 통해 '오늘을 사는 우리는 어떻게 새 시대의 환상을 볼 수 있을까?'를 묻습니다.

예수님에 대한 편견을 극복하라

지금도 예수 안 믿는 사람들과 대화해 보면, 그들이 예수를 믿지 못하는 데에는 믿지 못할 정당한 이유가 있어서라기보다, 대부분 사전에 그들 마음에 입력된 어떤 편견들 때문임을 발견하게 됩니다. 나다나엘도 그랬습니다. 본문 45절을 보면, 빌립이 나다나엘을 만나 간증을 합니다.

> "빌립이 나다나엘을 찾아 이르되 모세가 율법에 기록하였고 여러 선지자가 기록한 그이를 우리가 만났으니 요셉의 아들 나사렛 예수니라"(요 1:45).

무슨 말입니까? 자신이 구약 율법에서부터 증언된, 바로 그 오실 메시아를 만났다는 것입니다. 그런데 문제는, 나다나엘의 마음을 닫게 한 것은 그가 나사렛 출신의 예수라는 것입니다. 하필이면 나사렛이라니?

나사렛은 나다나엘의 고향인 가나에서 아주 가까운 곳, 불과 6킬로미터 떨어진 곳에 위치한 마을이었습니다. 서로의 거리가 20리도 안 되는 곳으로, 두 마을은 일종의 경쟁관계에 놓여 있었다고 볼 수 있는 곳이었습니다. 게다가 나사렛은 거기서 멀지 않은 세포리스에 로마의 수비대가 주둔하고 있어, 로마 군인들이 자주 나사렛 거리를 활보하며 온갖 악행을 일삼던 곳이었습니다. 이로 인해 나사렛은 비하의 의미가 담긴 히브리어 호칭인 '노츠리'(notzri, 아랍어 나쓰라이)로 불리게 되었다고 합니다. 그런데 그런 동네에서 메시아가 나셨다니, 이건 말도 안 된다는 반응인 것입니다.

본문 48절에서 그가 무화과나무 아래에 있었다고 기록한 것을 보면 그는 거기서 성경을 읽고 있었고(《탈무드》에 의하면 경건한 유대인 남자들은 큰 나무 아래서 하루에 한 번씩 성경을 읽도록 권면하고 있다), 따라서 그는 성경을 통해 메시아는 유대 땅 베들레헴에서 출생해야 한다는 지식을 가지고 있었을 것입니다. 물론 메시아는 유대 땅 베들레헴에서 탄생하시도록 예언되었습니다. 그러나 편견은 때로 하나는 알지만 전체를 알지 못하는 데서 파생할 수도 있습니다.

> "나사렛이란 동네에 가서 사니 이는 선지자로 하신 말씀에 나사렛 사람이라 칭하리라 하심을 이루려 함이러라"(마 2:23).

그는 메시아가 베들레헴에서 탄생하지만, 나사렛에서 성장하심으로 나사렛 사람이라 칭할 것이라고 예언된 말씀 전체를 알지 못한 것입니다. 무지는 편견의 가장 거대한 원천입니다. 우리가 전체를 보고 안다면, 우리는 편견의 노예가 될 필요가 없습니다.

제인 오스틴(Jane Austen)의 세계적인 명저 《오만과 편견》의 여주인공 엘리자베스는 또 다른 남자 주인공과 결혼에 골인하기 위해 그녀의 마음속에 심어진 소위 첫인상의 편견과 싸워야 했습니다. 남자의 첫인상은 오만하고 차가웠습니다. 그러나 그것은 문자 그대로 겉으로 나타난 인상이었을 뿐, 실제로 그는 마음이 따뜻하고 배려심이 많은 사람이었습니다. 하지만 그 편견을 극복하는 과정은 쉽지 않았습니다. 편견은 언제나 높고 강력한 벽을 쌓아 올리기 때문입니다. 불신자가 예수님을 알아 가는 과정도 그렇습니다. 예수님과 그 사이에 있던 편견의 벽이 무너지는 그날이 바로 구원의 날이요, 예수님과의 사랑이 시작되는 날입니다. 혹시 아직도 당신에게 존재하는 예수님에 대한 편견이 있습니까? 전체를 보십시오. 뿌리를 보십시오. 편견 속의 예수가 아닌, 성경 속의 예수를 만나십시오.

예수님의 신적 전지성을 인정하라

나다나엘이 예수님을 만나면서 발견한 놀라운 사실은, 예수가 자신에 대한 모든 것을 미리 알고 있었다는 것입니다. 나다나엘의 편견에도 불구하고, 빌립은 그가 직접 예수를 만나 볼 것을 권합니다.

> "나다나엘이 이르되 나사렛에서 무슨 선한 것이 날 수 있느냐 빌립이 이르되 와서 보라 하니라"(요 1:46).

이어지는 47절의 말씀을 보십시오.

"예수께서 나다나엘이 자기에게 오는 것을 보시고 그를 가리켜 이르시되 보라 이는 참으로 이스라엘 사람이라 그 속에 간사한 것이 없도다"(요 1:47).

비록 나다나엘에게는 편견이 있었지만, 예수님은 그가 순수하고 정직한 사람인 것을 알고 그것을 칭찬하십니다. 그리고 예수님이 그런 그의 내면의 정직성을 알아주시는 순간, 나다나엘의 편견의 벽은 무너져 내리기 시작합니다. 48절 전반부의 응답이 무엇입니까?

"나다나엘이 이르되 어떻게 나를 아시나이까"(요 1:48a).

그러자 예수님은 더 놀라운 사실을 계시하십니다.

"예수께서 대답하여 이르시되 빌립이 너를 부르기 전에 네가 무화과나무 아래에 있을 때에 보았노라"(요 1:48b).

나다나엘은 당황했을 것입니다.
'아니, 나의 깊은 내면과 내가 사람들을 피해 저 나무 아래에 조용히 홀로 머물러 있던 모습까지 속속들이 아는 저분은 도대체 누구시란 말인가?'
그리고 마침내 그는 친구 빌립이 고백한 내용에 자신도 동의할 수밖에 없는 자리에 도달하게 됩니다.

"나다나엘이 대답하되 랍비여 당신은 하나님의 아들이시요 당신
은 이스라엘의 임금이로소이다"(요 1:49).

이 말은 "당신은 나의 모든 것을 아시는 신적 존재, 곧 전지하신 분
이며, 나의 왕, 나의 주님이십니다"라는 고백인 것입니다. 예수님이
위대한 존재 혹은 위대한 스승이라는 것은 누구나 인정할 수 있는
일입니다. 그러나 그 정도의 고백으로 새 인생은 열리지 않습니다.
그에게 새로운 세상도, 새로운 시대도 열리지 않습니다. 오직 우리
가 그분을 하나님의 아들로, 아니 하나님으로 인정하고 고백할 때
비로소 새 삶, 새 역사가 시작되는 것입니다. 나다나엘은 그동안 무
화과나무 아래서 성경을 많이 읽어 왔습니다. 그러나 이제야 비로
소 그는 성경의 주인을 만난 것입니다. 요한복음 5장 39절의 말씀
이 성취되는 순간인 것입니다.

"너희가 성경에서 영생을 얻는 줄 생각하고 성경을 연구하거니와
이 성경이 곧 내게 대하여 증언하는 것이니라."

예수님의 중보자 되심을 신뢰하라

나다나엘을 만나지도 않고 그가 무화과나무 아래에 있었던 것을 보셨다는 예수님의 말씀은, 그를 놀라게 한 신성을 지니신 분의 선언이었습니다. 그러나 예수님은 그가 그 이상의 놀라운 일을 경험할 것이라고 선언하십니다.

"예수께서 대답하여 이르시되 내가 너를 무화과나무 아래에서 보았다 하므로 믿느냐 이보다 더 큰일을 보리라"(요 1:50).

도대체 이보다 더 큰일은 무엇일까요?

"또 이르시되 진실로 진실로 너희에게 이르노니 하늘이 열리고 하나님의 사자들이 인자 위에 오르락내리락하는 것을 보리라"(요 1:51).

이 말씀의 배경을 제대로 이해하기 위해서는 구약성경 창세기 28장의 내용을 알아야 합니다. 믿음의 조상 중 한 사람인 야곱은 형 에서의 장자권을 빼앗은 뒤, 형의 진노를 피해 외삼촌 라반이 있는 하란으로 향하고 있었습니다. 집을 떠나 60킬로미터가 넘는 거리를 가던 중, 해가 저물어 들에서 유숙하게 되었고, 돌을 베개 삼아 자던 중 꿈을 꾸게 됩니다. 그 꿈에서 그는 하늘과 땅을 연결하는 사닥다리에 천사들이 오르락내리락하는 광경을 목격합니다. 그리고 그 사닥다리 위에 계신 여호와 하나님을 뵙고, 그분으로부터 약속의 말씀을 받게 됩니다.

예수님은 왜 이 이야기를 나다나엘에게 들려주신 것일까요? 창세기 28장의 사건과 본문의 이야기에서 바꾸어진 것은 딱 하나입니다. 창세기 28장의 천사들이 오르락내리락하는 사닥다리 대신, 예수님은 천사들이 인자 위에 오르락내리락하리라고 말씀하십니다. 무엇을 의미하는 말씀입니까? 야곱이 본 환상에서 하늘과 땅을 연결하는 사닥다리가 바로 인자 되신 예수님이라는 것입니다. 예수님이 바로 하늘과 땅을 연결하는 중보자로 오신 것을 선언하고 계신 것입니다. 일찍이 인간의 죄는 하나님과 인간 사이에 거대한 간격, 곧 깊은 심연을 만들었습니다. 그러나 예수님이 그 간격을 메우기 위해 하나님과 인간 사이, 곧 하늘과 땅을 연결하는 중보자로 오셨음을 선언하신 것입니다. 그분이 바로 인자, 곧 사람의 아들로 이 땅에 오신 예수 그리스도이십니다.

"하나님은 한 분이시요 또 하나님과 사람 사이에 중보자도 한 분이시니 곧 사람이신 그리스도 예수라"(딤전 2:5).

예수님이 오늘 우리의 중보자가 되셨다는 것은 어떤 의미를 지닙니까? 다시 야곱의 사건으로 돌아가 생각해 보십시오. 그는 죄를 지은 후 죄책감을 한 아름 안고 두려워하며 도망하던, 불안하고 외로운 사내였습니다. 그런 그에게 중보자이신 예수님이 찾아오셨습니다. 그런데 그를 책망하거나 벌하지 않고, 오히려 용서하고 축복하십니다. 그러면서 그가 어디로 가든지 천사들을 통해 지키고 인도하며, 먹을 것과 입을 옷을 주겠다고 언약하십니다. 그는 잠에서 깨어 일어나 하나님이 자신을 만나 주신 그곳을 '벧엘'(하나님의 집)이라 부르게 됩니다. 그런 의미에서 야곱이 본 환상은, 어느 날 중보자이신 예수 그리스도가 역사의 지평선에 오실 때 일어날 엄청난 새 시대의 예언이었던 것입니다.

옛 언약인 율법에 비추어 보면, 야곱에게는 소망이 없었습니다. 그는 마땅히 벌을 받고 심판을 받아야 할 죄인이었습니다. 하나님께 나아갈 길이 단절되어, 심연에서 울부짖고 방황하다가 인생을 마쳐야 할 존재였습니다. 그러나 하늘에서 땅으로 은혜의 사닥다리가 펼쳐졌습니다. 그는 뜻밖의 은혜를 입고, 천사들의 도움을 받아 저 위에 계신 여호와 하나님 아버지께 나아가 경배하며, 그분의 축복을 누리며 살아가게 된 것입니다. 이것이 바로 새 언약, 곧 새 시대의 시작인 것입니다.

30대 초반, 영국에서 셰익스피어(William Shakespeare)의 연극 〈맥베스〉에서 맥베스 부인 역으로 유명했던 연극배우 사라 애덤스(Sarah Adams)는 건강을 잃고 죽음의 공포를 느끼던 어느 날, 창세기 28장을 읽으며 중보자이신 예수님을 바라보았습니다. 그 순간 그녀의 마음에 하늘의 은혜가 임했고, 그로부터 유명한 찬양 〈내 주를 가까이하게 함은〉(새찬송가 338장)이 탄생하게 되었습니다.

(1절)

내 주를 가까이하게 함은 십자가 짐 같은 고생이나

내 일생 소원은 늘 찬송하면서 주께 더 나가기 원합니다

(2절)

내 고생하는 것 옛 야곱이 돌베개 베고 잠 같습니다

꿈에도 소원이 늘 찬송하면서 주께 더 나가기 원합니다

(3절)

천성에 가는 길 험하여도 생명 길 되나니 은혜로다

천사 날 부르니 늘 찬송하면서 주께 더 나가기 원합니다

(4절)

야곱이 잠 깨어 일어난 후 돌단을 쌓은 것 본받아서

숨질 때 되도록 늘 찬송하면서 주께 더 나가기 원합니다

이 고백이 우리 모두의 고백이 되어야겠습니다.

"사흘째 되던 날 갈릴리 가나에 혼례가 있어 예수의 어머니도 거기 계시고 예수와 그 제자들도 혼례에 청함을 받았더니 포도주가 떨어진지라 예수의 어머니가 예수에게 이르되 저들에게 포도주가 없다 하니 예수께서 이르시되 여자여 나와 무슨 상관이 있나이까 내 때가 아직 이르지 아니하였나이다 그의 어머니가 하인들에게 이르되 너희에게 무슨 말씀을 하시든지 그대로 하라 하니라 거기에 유대인의 정결 예식을 따라 두세 통 드는 돌항아리 여섯이 놓였는지라 예수께서 그들에게 이르시되 항아리에 물을 채우라 하신즉 아귀까지 채우니 이제는 떠서 연회장에게 갖다 주라 하시매 갖다 주었더니 연회장은 물로 된 포도주를 맛보고도 어디서 났는지 알지 못하되 물 떠 온 하인들은 알더라 연회장이 신랑을 불러 말하되 사람마다 먼저 좋은 포도주를 내고 취한 후에 낮은 것을 내거늘 그대는 지금까지 좋은 포도주를 두었도다 하니라 예수께 서 이 첫 표적을 갈릴리 가나에서 행하여 그의 영광을 나타내시매 제자들이 그를 믿으니라"(요 2:1-11).

6

첫 표적

예수님을 우리 삶에 초대할 때
인생의 위기는 떠나고 기쁨의 축제는 계속된다

첫사랑, 첫 키스, 첫눈, 첫 학교 등의 표현에는 묘한 감상들이 실려 있습니다. 그러나 중요한 것은, 그것이 모두 의미 있는 경험들의 시작이었다는 것입니다. 본문은 예수님의 첫 표적 사건을 기록하고 있습니다. 본문의 결론적인 부분인 11절은 이렇게 기록합니다.

"예수께서 이 첫 표적을 갈릴리 가나에서 행하여 그의 영광을 나타내시매 제자들이 그를 믿으니라"(요 2:11).

우리가 잘 아는 물을 포도주로 변화시킨 사건은, 예수님이 공생애를 시작하면서 첫 번째로 행하신 표적입니다. 그런데 본문은 이 사건을 그냥 '기적'이 아닌, '표적'이라고 기록합니다. 기적은 영어로 흔히 miracle로 표기되지만, 표적은 영어로 sign입니다. 물론 물이 포도주로 변화된 것은 기적입니다. 그러나 기적인 동시에 표적이라는 것입니다. 표적은 겉으로 드러난 현상 이상으로, 이 사건이 지시하는 다른 중요한 것을 가리키는 표지라는 의미입니다. 우리는 거리에서 수많은 사인을 봅니다. 그러나 그 사인이 곧 그 사인의 실체를 의미하지는 않습니다. 예컨대, 대학 입구에 걸린 대학의 간판이 대학교 그 자체를 의미하지는 않습니다. 대학으로 들어가는 길을 의미할 따름입니다.

그러면 요한복음에 기록된 예수님의 표적들이 시사하는 궁극적인 레슨은 무엇일까요?

> "예수께서 제자들 앞에서 이 책에 기록되지 아니한 다른 표적도 많이 행하셨으나 오직 이것을 기록함은 너희로 예수께서 하나님의 아들 그리스도이심을 믿게 하려 함이요 또 너희로 믿고 그 이름을 힘입어 생명을 얻게 하려 함이니라"(요 20:30-31).

다시 말하면, 요한복음에 기록된 표적들은 예수님이 행하신 많은 기적 중에서 선택된 것들이며, 이 표적들의 목적은 두 가지, 곧 '예수가 그리스도이심을 믿게 하려는 것'과 '예수의 이름을 믿는 사람들이 얻고 누릴 영원한 생명의 삶의 본질을 보여 주고자 함'이라는 것입니다.

그렇다면 본문에 나타난, 물이 포도주로 변화된 예수님의 첫 표적의 진정한 레슨은 무엇일까요?

예수, 참된 기쁨의 삶으로 이끄는 인도자

이스라엘, 곧 팔레스타인의 잔치에서 포도주는 사치품이 아니라 필수품이었습니다. 포도주 없는 잔치란 성립하지 않았습니다. 포도주는 기쁨의 상징이었습니다.

"사람의 마음을 기쁘게 하는 포도주와 사람의 얼굴을 윤택하게 하는 기름과 사람의 마음을 힘 있게 하는 양식을 주셨도다"(시 104:15).

"포도나무가 그들에게 이르되 하나님과 사람을 기쁘게 하는 내 포도주를 내가 어찌 버리고"(삿 9:13).

유대인 랍비들이 즐겨 하는 이 말은 지금도 통용된다고 합니다. "포도주 없이는 기쁨도 없다네"(Without wine, there is no joy).

그런데 갈릴리 가나의 혼인 잔치에 최대 위기가 발생했습니다. 포도주가 떨어진 것입니다. 곧 잔치가 중단되어야 했습니다. 사실상 파티는 끝난 것이었습니다. 그러나 그럼에도 불구하고 잔치는, 파티는 계속될 수 있었습니다. 무엇 때문입니까? 예수님이 거기에 계셨기 때문입니다. 아니, 실상은 이 잔칫집에서 예수님을 초대했기 때문입니다.

"예수와 그 제자들도 혼례에 청함을 받았더니"(요 2:2).

요한복음 1장 후반부에는 예수님이 제자들을 부르시는 장면들이 묘사됩니다. 안드레를 부르시고, 시몬 베드로와 빌립을 부르시고, 1장 마지막에 부름 받는 제자가 나다나엘입니다. 그는 1장에 출현하고 요한복음에서 자취를 감춥니다. 그런데 그가 요한복음 마지막 장인 21장에 등장합니다. 부활한 예수님이 디베랴 호수(혹은 갈릴리 바다)에 찾아와 당신의 제자들을 만나 주시는데, "시몬 베드로와 디두모라 하는 도마와"(요 21:2a), 그다음에 누가 등장합니까? 나다나엘입니다. 그런데 그 나다나엘을 어떻게 기록합니까? "갈릴리 가나 사람 나다나엘"(요 21:2b)이라고 기록합니다. 그러니까 나다나엘은 지금 혼인 잔치가 벌어지고 있는 갈릴리 가나 출신이었던 것입니다. 고대 이스라엘의 혼인 잔치는 거의 일주일씩 진행되었습니다. 이 작은 마을에서 혼인 잔치를 위해 동네 사람들이 모였을 때, 톱 뉴스 (Top News)는 틀림없이 그 마을의 청년 나다나엘이 메시아로 불리는 예수의 제자가 되었다는 소식이었을 것입니다. 그때 누군가 이런 제안을 하지 않았겠습니까?

"이번 잔치에 그럼 나다나엘을 통해 예수와 그 제자들을 초대합시다."

예수님은 이곳에 이렇게 초대받아 오셨을 것입니다. 그런데 이 잔칫집에 위기가 발생했습니다. 잔치를 중단할 수도 있는 큰 위기였습니다. 그러나 중요한 것은, 예수님이 거기에 계셨습니다. 그래서 그분 때문에 위기를 극복하고, 잔치는 계속되었습니다. 끊임없는 위기와 대면하는 세상에서 그 위기를 극복하고 기쁨의 축제를 계속하는 비밀은 무엇입니까? 예수님을 초대하는 일입니다. 10년 전, 20년 전에 예수님을 우리 마음에 영접한 사실 이상으로 중요한 것은, 오늘 우리의 삶의 마당에 그분을 초대하는 일입니다. 그러면 축제는 계속될 것입니다. 우리의 삶은 기쁨의 잔치가 될 것입니다. 이 예수님의 첫 표적의 레슨은 무엇입니까? 우리의 메시아 되신 예수님을 우리의 삶의 마당, 위기의 마당에 모실 때, 그분이 우리를 참된 기쁨의 삶으로, 축제의 삶으로 인도하신다는 것입니다.

예수는 우리 구원의 기쁨의 주인

예수님의 첫 표적은 분명 갈릴리 가나의 혼인 잔치에 참여한 모두에게 기쁨을 제공했습니다. 그러나 예수님의 기적은 그 이상의 기쁨을 주게 됩니다. 그것은 바로 구원의 기쁨이었습니다. 하나님의 자녀, 곧 하나님의 백성이 하나님을 삶의 주인으로 그 마음에 영접하면서 누리는 가장 큰 기쁨이 있다면, 그것은 죄를 용서받고 거룩한 하나님의 백성으로 살아가는 구원의 기쁨일 것입니다. 그런데 만일 하나님의 백성이 범죄하게 된다면, 동시에 그 마음속에서 잃게 되는 것이 있습니다. 무엇입니까? 구원의 기쁨입니다. 그래서 시편 51편 12절에서 범죄한 다윗이 하나님께 드리는 안타까운 기도가 무엇입니까? "주의 구원의 즐거움[기쁨, joy of salvation]을 내게 회복시켜 주시고"입니다. 세상에서 경험하는 모든 기쁨 중 가장 위대하고 고상한 기쁨, 오직 하나님의 자녀들만이 경험하는 기쁨이 있다면 바로 구원의 기쁨인 것입니다.

갈릴리 가나의 혼인 잔치에서 예수님이 물로 포도주를 만드시는 기적을 보고, 제자들은 그분이 진실로 메시아이심을 확신하게 됩니다. 제자들은 당연히 본문 11절의 증언처럼 그분을 메시아로 믿게 됩니다. 그때 그들이 경험한 기쁨은 단순히 기적을 구경하게 된 기쁨이 아닌, 자신들의 구주를 만나고 믿게 된 바로 이 구원의 기쁨이었던 것입니다. 오늘 우리는 어떻습니까? 이런 구원의 기쁨을 경험하며 매일의 삶을 살고 있습니까?

예수님의 제자들이 예수님을 만나기 전 가지고 있었던 종교는 유대교였습니다. 유대교는 율법의 계명을 따라 삶을 지도하는 일종의 율법주의적 체계였습니다. 그들에게 도덕적 삶의 표준과 가이드라인이 있다는 것은 분명 축복이었습니다. 그러나 율법주의 종교의 한계가 무엇입니까? 그것은 바로 율법대로 살지 못하는 우리를 정죄할 뿐, 삶의 구원과 기쁨을 제공하지 못한다는 것입니다. 그것은 유대교만의 한계가 아니라, 실상은 이 땅에 존재하는 모든 종교와 모든 도덕의 한계라고 할 수 있습니다. 그리고 성경의 복음이 이 땅에 전해지기 전, 우리가 의지하던 유교와 이 땅의 토속 신앙들의 한계라고도 할 수 있습니다. 마치 갈릴리 가나의 혼인 잔칫집에 놓여 있던 여섯 개의 빈 항아리처럼, 우리는 도덕군자의 나라를 자처하면서도 마음은 텅 비어 있었던 것입니다. 그런데 예수님이 오시고 우리 마음에 말씀의 물이 부어져 예수를 구주로 믿는 순간, 우리 마음에서 말씀이 기쁨의 포도주로 변화하는 기적을 경험하게 된 것입니다. 이제 우리는 더 이상 율법의 사람이 아니라, 구원받은 예수의 사람, 예수의 제자가 된 것입니다.

할렐루야! 이것이 바로 우리의 구주요, 주님이신 예수님이 주신 구원의 기쁨입니다. 예수님의 첫 표적이 제공하는 두 번째 레슨은, 예수를 구주로 믿는 자마다 이런 구원의 기쁨을 누리게 된다는 것입니다. 요한복음 10장 10절의 약속을 문자 그대로 경험하는 것입니다.

"내가 온 것은 양으로 생명을 얻게 하고 더 풍성히 얻게 하려는 것이라."

그렇습니다. 우리의 구주요, 주님이신 예수님께 나아온 사람들에게 약속된 삶, 그것은 풍성한 포도주와 같은 더욱 풍성한 영생의 기쁨인 것입니다.

예수님과의 영원한 연합의 기쁨을 기대하게 함

예수님의 공생애 첫 표적이 혼인 잔치에서의 기적이었다는 것은 의미심장합니다. 이날 이 기적의 결과는 이 잔치의 주인공인 신랑과 신부에게 얼마나 큰 기쁨이었을까요? 이 기적으로 예수님이 신랑과 신부의 연합을 축복하셨다는 것도 잊어서는 안 될 일입니다. 본문에 등장하는 어머니 마리아의 중재 및 하인들의 순종까지 이 결혼식에 기쁨을 더하는 일에 일조했습니다.

그런데 본문이 시작되는 첫 구절인 1절은 이 모든 기적이 사흘째 되던 날 시작되었다고 증언합니다. 사흘째 되던 날이 정확하게 무엇을 의미하는지에 대해서는 학자들의 여러 견해가 제시되고 있지만, 흥미로운 것은 유대인의 전통을 아는 이들에 의해 제시된 해석입니다. 전통적인 유대인들은 한 주간을 칭할 때 우리처럼 월요일, 화요일, 수요일이 아니라, 첫째 날, 둘째 날, 셋째 날이라고 부릅니다. 하나님이 만물을 엿새 동안 창조하고 안식일에 쉬신 그 순서를 따르는 것입니다. 그런데 전통적인 유대인들은 6일 중 셋째 날, 곧 사흘째 되는 날을 결혼식 날짜로 선호한다고 합니다. 왜냐하면 그 날이 창조주 하나님께서 땅을 지으신 후, 땅을 향해 각종 채소와 열매 맺는 나무를 내라고 명하신 날이기 때문입니다. 땅에서 움이 돋고, 꽃이 피고, 열매를 맺는 날, 얼마나 아름다운 날입니까? 부부의 연합을 축복할 만한 날이 아니겠습니까!

본문을 기록한 사도 요한은 요한복음 15장에서, 그리스도인이 누리는 최고의 축복은 가지 된 우리가 포도나무이신 주님께 붙어 있어 이루는 아름다운 연합이라고 가르칩니다. 그분이 우리 안에, 우리가 그분 안에 있어 열매를 맺는 연합의 축복이야말로 우리와 주님 사이의 영적 연합의 기쁨이 아니겠습니까?

"내가 이것을 너희에게 이름은 내 기쁨이 너희 안에 있어 너희 기쁨을 충만하게 하려 함이라"(요 15:11).

우리가 주님 앞에 나아와 구원받는 사건은, 결국 우리를 주님과의 영원한 영적 연합으로 인도하는 것입니다. 바울 사도는 에베소서 5장에서 한 남자와 여자가 하나 되는 연합의 사건을 비밀, 곧 신비라고 말합니다.

"이 비밀이 크도다 나는 그리스도와 교회에 대하여 말하노라"(엡 5:32).

남녀의 결합의 비밀은 궁극적으로 그리스도와 그분의 신부인 교회의 영적 연합의 신비를 보여 주고 있다는 것입니다.

우리가 예수님을 만나고 믿는 순간부터, 우리는 예수님과 일종의 약혼 관계에 들어서는 것입니다. 그런 우리에게 언약된 최고의 날이 기다리고 있습니다. 대부분의 복음주의적 성경학자들은 요한복음을 기록한 사도 요한이 후일에 요한계시록을 기록한 것으로 보고 있습니다.

"우리가 즐거워하고 크게 기뻐하며 그에게 영광을 돌리세 어린 양의 혼인 기약이 이르렀고 그의 아내가 자신을 준비하였으므로"(계 19:7).

이제 때가 찬 것입니다. 영원한 연합의 시간이 된 것입니다.

"천사가 내게 말하기를 기록하라 어린양의 혼인 잔치에 청함을 받은 자들은 복이 있도다"(계 19:9).

가나의 혼인 잔치는 바로 그날, 그 영원한 잔치의 그림자에 불과합니다. 그날의 신랑은 우리 주님이시고, 우리는 그분의 신부가 되어 영원토록 즐거워하며 그분과 온전히 하나 되는 기쁨 속에 들어갑니다. 이것이 우리의 영원한 소망입니다. 이 첫 표적은 그날의 그림인 것입니다.

———

세상에서 경험하는 모든 기쁨 중

가장 위대하고 고상한 기쁨,

오직 하나님의 자녀들만이 경험하는 기쁨이 있다면

바로 구원의 기쁨인 것입니다.

"이에 유대인들이 대답하여 예수께 말하기를 네가 이런 일을 행하니 무슨 표적을 우리에게 보이겠느냐 예수께서 대답하여 이르시되 너희가 이 성전을 헐라 내가 사흘 동안에 일으키리라 유대인들이 이르되 이 성전은 사십육 년 동안에 지었거늘 네가 삼 일 동안에 일으키겠느냐 하더라 그러나 예수는 성전 된 자기 육체를 가리켜 말씀하신 것이라 죽은 자 가운데서 살아나신 후에야 제자들이 이 말씀하신 것을 기억하고 성경과 예수께서 하신 말씀을 믿었더라"(요 2:18-22).

가장 위대한
표적

예수 부활 사건보다 더 놀라운 기적,
더 위대한 표적은 없다

예수님은 이 땅에 계실 때 많은 기적을 행하셨습니다. 그러나 그것이 놀라운 일, 혹은 초자연적 현상 이상의 특별한 의미를 지니거나 어떤 교훈을 전달할 때, 성경은 그것을 그냥 기적이 아닌 표적(sign, miraculous sign)이라고 말합니다. 이 모든 표적은 이 땅에 오신 예수님이 하나님의 아들이며 구원자이심을 증거하는 것이었습니다.

본문은 예수님이 당시 예루살렘 성전을 장사 터로 만들고 있는 유대인들을 보고 분노하며 양과 소를 성전에서 내쫓고 돈 바꾸는 상인들의 상을 엎으시자, 이를 본 유대인들이 질문한 내용입니다.

"이에 유대인들이 대답하여 예수께 말하기를 네가 이런 일을 행하니 무슨 표적을 우리에게 보이겠느냐"(요 2:18).

다시 말하면, 예수님에게 과연 하나님의 아들이요, 구원자임을 증거하는 표적이 있느냐는 것입니다. 이때 예수님은 무엇이라 말씀하십니까?

"예수께서 대답하여 이르시되 너희가 이 성전을 헐라 내가 사흘 동안에 일으키리라"(요 2:19).

그러자 유대인들이 놀라서 반문합니다.

"유대인들이 이르되 이 성전은 사십육 년 동안에 지었거늘 네가 삼 일 동안에 일으키겠느냐"(요 2:20).

46년에 걸쳐 지은 성전을 3일 만에 다시 짓겠다니, 말도 안 되는 소리가 아니냐는 것입니다. 3일 동안에 성전을 일으키겠다는 예수님 말씀의 진짜 의미는 무엇입니까?

"그러나 예수는 성전 된 자기 육체를 가리켜 말씀하신 것이라"(요 2:21).

다시 말하면, 예수님이 죽음에서 사흘 만에 부활하실 사건, 이 사건이야말로 예수님이 구원자이심을 증거하는 가장 위대한 표적이 될 것이라는 말씀입니다. 그렇다면 예수 부활이 가장 위대한 표적인 이유는 무엇입니까?

인류 최대, 최후의 숙제인 죽음의 문제의 유일한 해답

그동안 인류는 문명과 과학, 특히 의학을 지속적으로 발전시켜 왔습니다. 그 결과, 우리는 과거 우리 조상들이 상상하지 못했던 건강과 장수를 누리게 되었습니다. 성경은 우리의 연수가 70이요 강건하면 80이라고 했지만, 바야흐로 지금 우리는 100세 인생을 노래하는 시대가 되었습니다. 가수 이애란 씨의 〈백세 인생〉 노랫말처럼 "80세에 저세상에서 날 데리러 오거든 아직은 쓸 만해서 못 간다고 전해라. 90세에 저세상에서 날 데리러 오거든 알아서 갈 테니 재촉 말라 전해라. 100세에 저세상에서 날 데리러 오거든 좋은 날 좋은 시에 간다고 전해라" 하고 노래하는 시대가 된 것입니다. 그러나 그것이 곧 죽음의 극복이나 정복을 뜻하지는 않습니다. 아직도 인류의 사망률은 100퍼센트입니다. 인류의 과학은 죽음의 시간을 조금 늦추어 놓은 것에 불과합니다. 성경은 "한 번 죽는 것은 사람에게 정해진 것이요 그 후에는 심판이 있으리니"(히 9:27)라고 말씀합니다. 과연 인류의 과학은 죽음에 대한 해답을 발견할 수 있을까요? 앞서 말한 것처럼, 죽음의 시간을 연장하는 일에는 꾸준한 진보가 있을 것입니다. 그러나 죽음 자체를 해결할 가능성은 없습니다.

그런데 성경은 그 해답이 존재한다고 말씀합니다. 그것이 복음입니다. 요한복음 11장에서 예수님의 친구 나사로가 죽게 되었습니다. 그의 누이들이 사람을 보내어 주님이 사랑하시는 자가 병들었다는 소식을 알리며 도움을 청했습니다. 그런데 예수님은 바로 달려가지 않고 늑장을 부리다가 묘한 말씀을 하십니다.

"우리 친구 나사로가 잠들었도다 그러나 내가 깨우러 가노라"(요 11:11).

여기서 잠들었다는 것은 그가 죽었다는 말입니다. 그러나 깨우러 간다는 말은 죽음이 마지막이 아니라는 선언입니다. 성도의 죽음이 주 안에서 잠자는 것이라면, 부활은 이 잠에서 깨어나는 사건이라는 말입니다. 그러면서 주님은 친구 나사로의 무덤으로 나아가며 실로 놀라운 복음을 전하십니다.

"예수께서 이르시되 나는 부활이요 생명이니 나를 믿는 자는 죽어도 살겠고"(요 11:25).

그리고 나사로의 무덤 앞에 이르러 이렇게 말씀하십니다.

"나사로야 나오라"(요 11:43).

만일 그때 예수님이 "죽은 자여, 나오너라" 말씀하셨다면, 지상에 죽었던 모든 사람이 일어났을 것입니다. 아직은 부활의 때가 아닙니다. 그러나 죽었던 한 사람을 살림으로, 당신이 바로 부활의 주인임을 입증하셨습니다. 그리고 그것으로 충분했습니다.

물론 나사로는 다시 죽었습니다. 기독교 전승에 의하면, 살아난 나사로는 지중해 연안의 키프로스(사이프러스, 구브로)섬에 가서 전도하다가 죽었다고 합니다. 키프로스섬에는 그를 기념하는 나사로 기념교회가 세워져 있는데, 이 교회 강단 후면에는 그의 유해가 안치된 관이 있고, 그 관에는 '친구 나사로'라는 헬라어 글자가 새겨져 있습니다. 제가 미국에 있을 때, 미국 교회 청년들이 나사로 사건을 소재로 한 스킷 드라마를 공연하는 것을 본 적이 있습니다. 거기서 한 사람이 죽음에서 부활한 나사로에게, 죽기 전과 죽음에서 부활한 후 당신에게 무엇이 달라졌느냐고 묻습니다. 그때 나사로는 이렇게 대답합니다.

"더 이상 죽음이 두렵지 않습니다."

그렇지 않겠습니까? 부활이 확실한 것이라면 죽음을 두려워할 이유가 무엇입니까? 예수님은 이 부활의 확실성을 나사로 사건뿐 아니라 당신의 부활을 통해 증명하셨습니다. 그분의 예언 그대로 죽으신 지 사흘 만에 다시 당신의 성전인 몸의 부활을 입증하신 것입니다. 본문 22절을 보십시오.

"죽은 자 가운데서 살아나신 후에야 제자들이 이 말씀하신 것을 기억하고 성경과 예수께서 하신 말씀을 믿었더라"(요 2:22).

바울 사도는 이 놀라운 소망을 고린도전서 15장 20절에서 이렇게 전합니다.

"그러나 이제 그리스도께서 죽은 자 가운데서 다시 살아나사 잠자는 자들의 첫 열매가 되셨도다."

이어지는 말씀을 보십시오.

"그러나 각각 자기 차례대로 되리니 먼저는 첫 열매인 그리스도요 다음에는 그가 강림하실 때에 그리스도에게 속한 자요"(고전 15:23).

무슨 말입니까? 그리스도가 부활하신 것처럼, 부활하신 그리스도가 재림하실 때 그분을 믿고 그에게 속한 인생을 산 모든 신자가 부활할 것이라는 말입니다. 그리스도인은 이 부활의 소망을 가지고 살아가며, 그 소망 안에서 죽는 사람들이라는 것입니다. 그렇습니다. 부활은 죽음의 문제에 대한 유일한 희망입니다. 그래서 예수 부활 사건보다 더 놀라운 기적, 더 위대한 표적은 없습니다. 그분의 부활의 기적이 우리의 소망이 되었기 때문입니다.

인류 최대, 최고의 숙제인 죄 문제의 유일한 해답

예수 부활이 위대한 표적인 또 하나의 이유가 있습니다. 죄 문제를 해결할 수 있는 유일한 해답이 되기 때문입니다. 성경은 인류에게 죽음이 찾아온 이유를 죄 때문이라고 말씀합니다.

"죄의 삯은 사망이요"(롬 6:23).

왜 모든 사람이 다 죽어야 합니까? 모든 사람이 다 죄를 지은 까닭입니다. 그러나 인류는 그동안 이런 죄 문제를 인정하기보다, 여러 가지 미봉책으로 죄에서의 도피를 시도해 왔습니다. 미성숙, 미개함, 상처, 분노, 억압, 부적응 등의 단어들로 죄를 대치해 보고자 했습니다. 그리고 우리가 좀 더 교육을 받으면, 좀 더 성숙하면, 좀 더 이해하게 되면 모든 문제가 해결될 것이라고 낙관해 왔습니다. 그러나 인류의 문화적 진보는 죄 문제를 해결하는 일에 조금도 진보를 보이지 못했습니다. 교육과 문화로 포장된 인류는 좀 더 세련되고 교묘하게 변장된 모습으로 죄를 지을 뿐입니다. 한마디로 우리는 죄 문제를 해결하는 일에 희망이 없음을 입증해 왔을 뿐입니다.

그러면 죄 문제는 해결될 수 없단 말입니까? 인류의 죄 문제에 해결책이 없다면, 이 땅에 복음은 존재하지 않습니다. 그런데 여기 복음이 있습니다. 복음은 하나님의 아들인 예수 그리스도이십니다. 그분이 마리아를 통해 잉태되었을 때, 주의 천사는 이렇게 복음을 전했습니다.

“아들을 낳으리니 이름을 예수라 하라 이는 그가 자기 백성을 그들의 죄에서 구원할 자이심이라”(마 1:21).

이것이 복음입니다. 그분이 바로 죄에서 우리를 구원할 자로 이 땅에 오신 것입니다. 그분은 우리의 죄 문제를 해결하고자 우리의 죄를 대신 짊어지고 십자가에 매달리셨습니다. 죄를 알지도 못하신 분이 속죄의 제물이 되어 십자가에 달리신 것입니다. 그리고 그분은 죄를 범한 인류가 하나님께 받아야 할 진노와 저주를 몸으로 대신 받고 보혈을 흘리셨습니다. 그런데 그 십자가에서 흘리신 피가 역설적으로 우리를 죄에서 해방한 것입니다. 사도 요한은 이렇게 전합니다.

“그 아들 예수의 피가 우리를 모든 죄에서 깨끗하게 하실 것이요”(요일 1:7).

이것이 복음이 아닙니까?

본문에는 예수님이 예루살렘 성전을 정결하게 하시는 사건이 기록되어 있습니다. 그런데 이 사건 후에 갑자기 예수님이 당신의 몸을 성전이라고 말씀하십니다. 모든 죄는 더러운 것입니다. 더럽혀진 성전과 같은 인류의 죄를 예수님이 짊어지신 것은, 그분이 대신 더러운 죄인이 되셨다는 말입니다. 그분이 죄인이 되어 십자가에 죽으시고 부활하신 것입니다. 이사야 선지자의 예언을 묵상해 보십시오.

"그가 찔림은 우리의 허물 때문이요 그가 상함은 우리의 죄악 때문이라 그가 징계를 받으므로 우리는 평화를 누리고 그가 채찍에 맞으므로 우리는 나음을 받았도다"(사 53:5).

이 예수 그리스도를 구원의 주님으로 받아들이는 순간 일어나는 가장 놀라운 변화는, 우리의 죄가 용서받고, 우리의 존재가, 우리의 성전이 깨끗하게 된다는 것입니다.

"예수는 우리가 범죄한 것 때문에 내줌이 되고 또한 우리를 의롭다 하시기 위하여 살아나셨느니라"(롬 4:25).

그분의 죽으심으로 우리가 죄 사함을 받고, 그분이 다시 살아나심으로 우리는 의롭다 함을 얻어 새 삶을 살게 된 것입니다. 할렐루야!

청교도 가문에서 태어난 줄리아(Julia Harriette Johnston)라는 주일학교 교사가 있었습니다. 어느 날, 주일학교 어린이들을 가르치기 위한 공과 공부를 준비하던 중, 자신 같은 죄인이 예수를 믿고 의롭다 함을 얻어 복음을 나누는 자가 되었다는 사실이 너무 감사하게 느껴졌습니다. 그래서 그녀는 자신의 공과 노트에 한 단어를 적었습니다. '놀랍다'(marvelous). 그리고 잠시 후, 또 하나의 단어를 기록했습니다. 그것은 '은혜'(grace)라는 단어였습니다. 그래서 탄생한 찬양이 〈놀랍다 주님의 큰 은혜〉(새찬송가 251장)입니다.

(1절)
놀랍다 주님의 큰 은혜 우리의 죄를 속하시려
갈보리 십자가 위에서 어린양 보혈을 흘렸네

(후렴)
주의 은혜 우리의 죄를 다 씻었네
주의 은혜 우리의 죄를 다 씻었네

부디 우리 모두 이 은혜를 아는 자가 되기를 소망합니다!

예수님이 부활하신 사건이야말로
예수님이 구원자이심을 증거하는
가장 위대한 표적입니다.

"그런데 바리새인 중에 니고데모라 하는 사람이 있으니 유대인의 지도자라 그가 밤에 예수께 와서 이르되 랍비여 우리가 당신은 하나님께로부터 오신 선생인 줄 아나이다 하나님이 함께하시지 아니하시면 당신이 행하시는 이 표적을 아무도 할 수 없음이니이다 예수께서 대답하여 이르시되 진실로 진실로 네게 이르노니 사람이 거듭나지 아니하면 하나님의 나라를 볼 수 없느니라 니고데모가 이르되 사람이 늙으면 어떻게 날 수 있사옵나이까 두 번째 모태에 들어갔다가 날 수 있사옵나이까 예수께서 대답하시되 진실로 진실로 네게 이르노니 사람이 물과 성령으로 나지 아니하면 하나님의 나라에 들어갈 수 없느니라 육으로 난 것은 육이요 영으로 난 것은 영이니 내가 네게 거듭나야 하겠다 하는 말을 놀랍게 여기지 말라 … 모세가 광야에서 뱀을 든 것같이 인자도 들려야 하리니 이는 그를 믿는 자마다 영생을 얻게 하려 하심이니라"(요 3:1-7, 14-15).

8

가장 위대한 변화:
거듭남

거듭남은 많은 설교를 듣는 것보다
어떻게 반응하고 결단하느냐에 달렸다

1970년대 중반, 제가 미국에서의 첫 유학을 마무리할 무렵, 당시 미국은 대선 후보들의 선거 운동으로 무척이나 뜨거웠습니다. 그때 한 후보의 고백으로 미국 전역이 들끓게 되었습니다. 당시 미합중국 대통령 민주당 후보였던 지미 카터(Jimmy Carter)가 자신을 born again christian, 곧 '거듭난 그리스도인'이라고 고백한 것입니다. 그러자 상대방 후보가 반격에 나섰습니다. '그럼 당신만 거듭나고 난 거듭나지 않았다는 말이냐, 과연 거듭났다는 것을 무엇으로 알 수 있느냐, 거듭남이란 도대체 무엇을 의미하느냐' 등등의 질문으로 논쟁이 불붙기 시작했습니다. 결국 미국 언론과 신학자, 목회자들이 총동원되어 거듭남의 의미를 저마다 정의하고 해석하기에 이르렀습니다. 본문은 그 거듭남의 의미를 다루는 오리지널 텍스트라고 할 수 있습니다.

인간은 누구나 변화의 갈망을 안고 인생을 살아갑니다. '내 인생, 이렇게 이대로 지금처럼 그냥 살아갈 수는 없다'는 자각은 우리로 숨겨진 우리 내면의 변화를 자극합니다. 우리는 모두 스스로를 향해 묻습니다.

'나는 과연 변화될 수 있을까?'

'나는 인생을 다시 시작할 수 있을까?'

성경은 이런 인간 내면의 본질적인 변화를 가리켜 '다시 태어남'(거듭남, born again) 혹은 '위로부터 태어남'(born from above)이라고 부릅니다. 가장 위대한 변화, 그것이 바로 다시 태어남, 곧 거듭남인 것입니다. 그리고 본문은 거듭남의 명제를 둘러싼 인생의 세 가지 가장 중요한 질문, 곧 '누가 거듭나야 하는가', '왜 거듭나야 하는가' 그리고 '어떻게 거듭날 수 있는가'에 대해 대답해 주고 있습니다.

누가 거듭나야 하는가

우리는 거듭나야 한다는 말을 들을 때 깡패와 조폭, 사기꾼, 창녀, 범법자는 당연히 거듭나야겠지만, 그것이 우리 자신과는 무관한 명제라고 생각할지 모릅니다. 그런데 정말 우리는 그런 부류의 사람들과 다른, 거듭남이 필요 없는 인간일까요?

1961년, 예루살렘 법정에서는 유대인 홀로코스트 압송과 학살의 원흉이었던 유명한 나치 관리 아이히만(Adolf Eichmann)의 재판이 진행 중이었습니다. 이날 이 재판에 꼭 참석해서 아이히만의 악마성을 관찰하고 싶었던 한나 아렌트(Hannah Arendt)라는 유명한 유대인 철학자가 있었습니다. 그런데 그녀가 법정에서 발견한 놀라운 사실은, 그녀가 가까이서 본 아이히만은 악마 같은 인간이 아니라 우리와 똑같은, 너무나도 평범한, 그저 정부의 명령에 순종하고 있었던 한 순진한 관리의 모습이었다는 것입니다. 아렌트는 후일 이것을 그의 저서《예루살렘의 아이히만》(한길사 역간)에서 '악의 평범성'(banality of evil)이라고 회고했습니다. 그는 특별한 악인이 아닌, 자신 같은 평범한 사람이었다는 사실입니다.

10여 년 전, 한국 사회도 최순실이라는 한 여인의 소위 '국정 농단 사태'를 보고 도대체 그녀가 얼마나 교활하고 교만한 여인이기에 그런 엄청난 일을 저지를 수 있었을 것인가에 국민적 관심이 집중되어 있었습니다. 그런데 검찰의 포토라인에 서서 울먹이며 "죽을 죄를 지었습니다"라고 개미만 한 목소리로 흐느끼는 모습은 우리 주변에서 얼마든지 목격할 수 있는 평범한 아주머니의 모습과 다를 바가 없었습니다. 그 모습을 보며 깨달은 것은, 제 안에도 최순실이 살고 있다는 사실입니다. '내가 만약 최고 권력자를 아무 때나 만날 수 있고 통할 수 있다면, 나라고 그 여인과 다른 모습으로 인생을 살 수 있을까?'라는 질문은 아직도 제 안에서 계속되고 있습니다.

본문에서 예수님이 거듭나야 한다고 말씀하고 계시는 대화의 파트너는 누구입니까? 성경은 그가 하나님의 선민이라고 자부하던 유대인이며, 유대인 중에서도 지도자, 곧 사회·도덕적으로 리더요, 하나님의 율법 토라(Torah)를 관리하고 해석하던 종교적 바리새인이라고 기록합니다(요 3:1 참조). 또한 그는 이스라엘의 선생, 곧 랍비(가톨릭의 사제, 개신교의 목사 같은 존재)라고 기록합니다. 그런데 그런 사람에게도 예수님이 거듭나야 한다고 말씀하셨다면, 이 명제는 과연 우리와 무관할까요?

제가 미국 이민 목회를 하던 시절, 교회에서 노인들을 위한 영어 회화 반을 운영했었습니다. 그런데 호남 출신이었던 한 노인 부부가 서로 이런 대화를 나누었다고 합니다.

"우리가 이렇게 늘 배워도 영어를 실제로 사용하지 않으니 발전이 없네. 우리끼리 연습이라도 합시다."

그러던 어느 날, 드디어 기회가 왔습니다. 밖에 나가셨던 할아버지가 집에 돌아와 문을 노크하자, 할아버지인 것을 안 할머니가 영어 연습차 큰 소리로 물으셨다고 합니다.

"Who여?"

그러자 할아버지가 영어로 대답하셨다고 합니다.

"Me랑께!"

자, Who가(누가) 거듭나야 할까요? 이 중요한 질문에 대한 정답이 무엇입니까? 할아버지의 말이 정답입니다.

"Me랑께!"

왜 거듭나야 하는가

역시 본문에서 발견하는 두 가지 대답이 있습니다. 하나는, 예수님이 강조하셨기 때문입니다. 이 길지 않은 짤막한 본문에서 예수님은 세 번이나 거듭해서 거듭나야 한다고 강조하십니다.

> "사람이 거듭나지 아니하면 하나님의 나라를 볼 수 없느니라 … 사람이 물과 성령으로 나지 아니하면 하나님의 나라에 들어갈 수 없느니라 … 내가 네게 거듭나야 하겠다 하는 말을 놀랍게 여기지 말라"(요 3:3, 5, 7).

예수님이 얼마나 이 거듭남의 명제를 중요하게 여기고 계셨는지를 알 수 있는 대목입니다.

지나간 세기 영국과 미국에서 활동한 세계적인 전도자 중에 조지 휘트필드(George Whitefield)라는 분이 계십니다. 그의 단골 설교는 '거듭나야 한다'는 메시지였습니다. 그 설교에 감동을 받은 한 청년이 휘트필드의 집회마다 따라다니며 자원봉사를 했습니다. 처음에는 좋았습니다. 그런데 시간이 경과되어 보니, 이 목사님이 어디를 가나 너무 똑같은 설교, 특히 '거듭나야 한다'는 설교를 지나치게 반복하는 것을 보고 시험에 들었습니다. 그날도 '거듭나야 한다'는 똑같은 메시지를 전하고 강단에서 내려오는 휘트필드에게 청년이 물었습니다.

"목사님, 어쩌자고 목사님은 '거듭나야 한다'는 똑같은 설교만 반복하십니까?"

그러자 휘트필드가 물었습니다.

"알고 싶은가?"

청년은 "예, 알려 주십시오" 하고 대답했습니다. 그러자 휘트필드는 이렇게 말했습니다.

"왜냐하면 네가 거듭나야 하기 때문이다."

많은 설교를 듣는다고 거듭나는 것이 아닙니다. 메시지에 어떻게 반응하고 결단하느냐가 중요한 것입니다.

거듭나야 하는 또 다른 중요한 이유로, 본문에서 예수님은 이 거듭남의 명제를 하나님 나라와 연관시키고 계십니다.

> "사람이 거듭나지 아니하면 하나님의 나라를 볼 수 없느니라 …
> 사람이 물과 성령으로 나지 아니하면 하나님의 나라에 들어갈 수
> 없느니라"(요 3:3, 5).

거듭나지 않으면 하나님 나라에 들어갈 수도, 아니 볼 수도(구경할 수도) 없다는 것입니다. 하나님 나라의 본질은 하나님의 통치입니다. 하나님이 통치하시는 나라가 하나님 나라입니다. 우리는 모두 자기가 자신을 다스리는 인생을 살고 있습니다. 다른 말로 하면, 우리가 우리 자신을 운전하는 인생을 살고 있는 것입니다. 그런데 그것이 방황이고 사고 인생임을 깨닫는 순간, 우리는 하나님

으로 운전자를 바꾸어 그분을 우리 인생의 주인으로 모시고 삽니다. 그때 우리가 경험하는 새로운 은혜, 새로운 기쁨, 새로운 평화가 바로 하나님 나라의 본질인 것입니다.

> "하나님의 나라는 먹는 것과 마시는 것이 아니요 오직 성령 안에 있는 의와 평강과 희락이라"(롬 14:17).

그런데 거듭나지 않으면 우리는 이런 하나님의 통치 안에서 경험할 수 있는 의도, 평강도, 희락도 알지 못한 채 평생을 살아야 합니다. 그래서 거듭나야 한다고 예수님은 말씀하십니다.

어떻게 거듭날 수 있는가

그러면 어떻게 거듭날 수 있을까요?

> "모세가 광야에서 뱀을 든 것같이 인자도 들려야 하리니 이는 그를 믿는 자마다 영생을 얻게 하려 하심이니라"(요 3:14-15).

구약성경의 배경을 잘 모른다면 이해가 안 될 수 있는 말씀입니다. 이스라엘 백성이 약속의 땅인 가나안을 향해 가고자 시내 광야를 지나던 중 먹을 것이 없어집니다. 그때 지도자 모세를 통해 하나님께 도움을 청했을 때, 광야에 흰색의 둥근 눈송이 같은 만나가 떨어집니다. 얼마나 감격하고 감사했을까요? 처음에 그들은 꿀맛 같다고, 기름 섞은 과자 같다고 감읍하며 먹었습니다. 그런데 문제는, 메뉴가 바뀌지 않는 것입니다. 그제도 만나, 어제도 만나, 오늘도 만나…. 그러자 이 하찮은 음식을 더 이상 견딜 수 없다고 불평하기 시작합니다.

성경에 아마 하나님이 그때처럼 화를 내신 적(열 받으신 적)이 없으셨던 듯합니다. 그래서 죄인들을 징계하고자 불뱀들을 보내서 백성을 물게 하십니다. 이제 불뱀의 독으로 여기저기서 쓰러져 죽어갑니다. 이에 백성이 다시 지도자 모세를 통해 하나님께 살려 달라고 호소하자, 자비의 하나님이 구원의 처방을 내리십니다. 그 처방은 모세로 하여금 긴 막대기에 놋뱀을 매달게 한 후, 백성이 그 놋뱀을 바라보면 살리라는 것입니다. 이상한 처방이 아닙니까? 불뱀에 물린 이들에게 작대기 끝에 매달린 놋뱀을 쳐다보라니요. 그런데 지금으로부터 2천 년 전, 하나님이 다시 비슷한 처방을 이 땅에 살고 있는 인류를 위해 내리십니다. 그것이 바로 십자가입니다. 불뱀에 물린 이스라엘의 구원을 위해 놋뱀을 막대기에 매다신 하나님이, 죄로 말미암아 사망과 진노를 피할 수 없는 인간의 구원을 위해 당신의 아들 예수로 우리의 죄를 대신 짊어지고 죄인이 되게 하사 십자가라는 막대기에 매달리게 하신 것입니다.

불뱀에 물린 이스라엘 백성 중에는 막대기에 매달린 놋뱀을 쳐다보라는 말에 웃긴다는 반응을 보인 자가 많았을 것입니다.

'내가 이 뱀의 독을 제하고자 별별 방법을 다 썼는데, 놋뱀이라니….'

이들은 그러면서 죽어 갔을 것입니다. 그런데 여기 한 사람이 이런 생각을 합니다.

'내가 인간적인 방법으로는 이 독을 제거하지 못했지만, 그것이 하나님의 처방이라면 한번 그렇게 해 보지 뭐.'

그러면서 믿음으로 막대기에 달린 놋뱀을 바라봅니다. 그 순간 독이 제거되어, 그는 죽지 않고 새로운 인생을 살게 됩니다.

"모세가 광야에서 뱀을 든 것같이 인자도 들려야 하리니 이는 그를 믿는 자마다 영생을 얻게 하려 하심이니라"(요 3:14-15).

여기서 '인자'는 사람의 아들로 이 땅에 오신 하나님의 아들, 예수 그리스도를 말하는 것입니다. 그 예수가 우리를 죄의 독에서 건져 내고 구원하고자 십자가에 달리신 것입니다. 그분을 믿음으로 바라보는 순간, 우리는 영원한 생명을 얻고 거듭난다는 것입니다. 이 것이 바로 복음입니다.

영국이 한때 아프리카와 노예 무역을 하던 시절, 그 무역선을 타고 다니던 한 청년이 있었습니다. 어려서 어머니를 여읜 그는 부친과 함께 무역선을 타고 다니며 성격이 점점 거칠어지기 시작했습니다. 그러면서 감옥에 갇히기도 하고, 자신이 타고 다니던 노예선의 노예가 되기도 했습니다. 그러던 어느 날, 그가 타고 가던 배가 파선의 위기에 처했을 때, 그는 '내가 이렇게 죽는구나'라는 생각과 함께 그동안 죄만 짓고 살아온 과거를 떠올리게 되었습니다. 그 순간 그는 "주여, 나에게 자비를 베푸소서"라고 기도했고, 그날로 예수님을 구주로 영접하며 새사람이 되었습니다. 그의 나이 23세 때의 일입니다.

그는 앞서 언급했던 전도자 휘트필드를 만나면서 영향을 받아 39세의 나이에 목사가 됩니다. 노예상이었던 그는 노예 폐지 운동에 앞장서며 수많은 영혼을 주님께로 인도합니다. 그리고 54세가 되던 어느 날, 그의 인생을 변화시켜 주신 놀라운 주의 은혜를 묵상하다가 위대한 찬송시 한 편을 쓰게 됩니다. 이 이야기의 주인공이 누구일까요? 그는 새찬송가 305장 〈나 같은 죄인 살리신〉(Amazing Grace)을 만든 존 뉴턴 목사입니다.

(1절)
나 같은 죄인 살리신 주 은혜 놀라워
잃었던 생명 찾았고 광명을 얻었네

혹시 당신에게도 이 은혜, 거듭남의 은혜가 필요하지 않은가요?

예수를 믿음으로 바라볼 때
영원한 생명을 얻고 거듭날 수 있습니다.

"하나님이 세상을 이처럼 사랑하사 독생자를 주셨으니 이는 그를 믿는 자마다 멸망하지 않고 영생을 얻게 하려 하심이라"(요 3:16).

9

가장 위대한
사랑

위대한 사랑의 근원은 '하나님'이시고,
위대한 사랑의 대상은 '세상'(사람들)이다

교회에 출석하면 제일 먼저 배우는 성경 구절이 바로 요한복음 3장 16절입니다. 이 구절은 성경 중의 성경이라고 불립니다. 예수를 믿는 이들이 안 믿는 이들에게 성경의 핵심 진리를 설명하기 위해 제일 많이 사용하는 성구도 요한복음 3장 16절입니다. 미국 캘리포니아의 인기 있는 햄버거 식당 '인앤아웃 버거'(IN-N-OUT Berger)에 보면 그릇 받침마다 'John 3:16'(요한복음 3:16)이라고 쓰여 있습니다. 한번은 지구촌교회 건너편 거리를 지나는데 커피숍의 이름이 'John 3:16'이었습니다. 틀림없이 믿는 분이 운영하는 가게일 것입니다. 그러면 이 구절이 기독교 진리를 대표하는 구절로 사용되는 이유는 무엇일까요? 그것은 무엇보다 이 구절에 인류를 향한 하나님의 위대한 사랑이 가장 잘 표현되어 있기 때문입니다.

위대한 사랑의 근원은 '하나님'이십니다. 위대한 사랑의 대상은 '세상'(사람들)입니다. 위대한 사랑의 크기는 '이처럼'입니다. 위대한 사랑의 선물은 '독생자'(예수 그리스도)입니다. 위대한 사랑의 행동은 '주셨으니'입니다. 위대한 사랑의 수혜자는 '누구든지'입니다. 위대한 사랑의 통로는 '믿음'입니다. 위대한 사랑의 결과는, 소극적으로는 '멸망하지 않고'이고, 적극적으로는 '영생을 얻음'입니다.

교회에 처음으로 나가기 시작한 어린 소년에게 아빠가 물었습니다.

"너, 무슨 이유로 교회에 나가기로 했니?"

그러자 아들이 말했습니다.

"하나님이 저를 사랑하시는 것을 알았기 때문이에요."

"하나님이 너를 얼마나, 어떻게 사랑하시는데?" 하며 묻는 아빠에게 소년은 이렇게 대답했다고 합니다.

"(두 팔을 벌리며) 이만큼요. 십자가만큼요."

소년은 가장 정확하게 요한복음 3장 16절 말씀의 핵심을 요약한 것입니다. 예수 그리스도의 십자가 사건이야말로 하나님의 위대한 사랑의 본질을 증언하는 말씀입니다. 우리는 이 장에서 십자가 사건에 나타난 가장 위대한 사랑을 하나님의 관점과 사람의 관점으로 나누어 묵상해 보고자 합니다.

하나님의 관점으로 본 십자가 사건

본문에는 하나님의 관점으로 본 십자가 사건의 의미를 나타내는 두 개의 단어가 기록되어 있습니다. 하나는 '사랑하사'(loved)이고, 또 하나는 '주셨으니'(gave)입니다.

'He loved and He gave!'

십자가는 하나님이 우리 인간을 얼마나 사랑하셨는지, 속죄의 제물로 독생자 예수님을 내어 주신 곳입니다. 여기서 성경은 예수님을 '독생자'라고 표현합니다. 영어로는 'only begotten son'입니다. 그런데 헬라어 원문에는 '모노게네스'(mono-genes)라고 되어 있습니다. 우리가 잘 아는 대로 'mono'는 'only', 곧 '유일한, 오직 하나밖에 없는'(one and only)이라는 뜻이고, 'genes'는 'gene' 혹은 DNA를 뜻하는 말입니다. 무슨 말입니까? 독생자를 주셨다는 말은 하나님 당신의 본질, 생명, 신성 그 자체를 내어 주셨다는 것입니다.

어느 부부가 갈등 중에 부인이 이혼을 통고하자, 남편이 아내에게 이렇게 말했다고 합니다.

"여보, 내가 당신에게 안 해 준 것이 무엇이오? 좋은 집, 좋은 자동차, 좋은 도우미, 좋은 재원 등 도대체 안 해 준 것이 무엇이오?"

그러자 아내가 이렇게 말했다고 합니다.

"맞아요. 당신은 내게 그 모든 것을 주었어요. 당신 자신은 빼 놓고 말이에요."

사랑은 가장 소중한 것을 내어 주는 것입니다. 사랑은 자기 자신을 내어 주는 것입니다. 그래서 하나님은 우리를 이처럼 사랑하사 독생자를, 바로 당신 자신을 내어 주신 것입니다.

그런데 하나님 편에서 이렇게 독생자를 십자가에 내어 주실 필요가 있었을까요? 필요가 있었다면 그 이유는 무엇일까요?

"예수는 우리가 범죄한 것 때문에 내줌이 되고 또한 우리를 의롭다 하시기 위하여 살아나셨느니라"(롬 4:25).

인간의 범죄는 거룩하신 하나님의 진노를 받아 마땅한 것이었습니다. 그러나 거룩하신 하나님이 우리를 향해 진노하고 우리를 심판하시면, 그것으로 모든 인생은 멸망의 마침표를 찍고 말 것입니다. 그래서 우리의 죄를 대신 짊어지고 심판을 받으실 대속의 제물이 필요했던 것입니다. 그런데 그 대속의 제물로 십자가에 드려짐을 하나님의 유일한 아들이신 예수 그리스도가 자원하신 것입니다.

"인자가 온 것은 섬김을 받으려 함이 아니라 도리어 섬기려 하고 자기 목숨을 많은 사람의 대속물로 주려 함이니라"(막 10:45).

그래서 하나님은 둘도 아닌 하나밖에 없는 독생자를 이 대속의 제물로 십자가에 내어 주신 것입니다. 얼마나 거룩하고 위대한 사랑입니까?

옛날 한국 교회 부흥회를 인도하던 목사님들이 이 사랑을 전달하기 위해 자주 들려주시던 이야기가 있습니다. 한 목사님에게 아들이 다섯이나 있었는데, 그분의 친구 목사님은 아들이 하나도 없었다고 합니다. 두 분이 만나 대화하던 어느 날, 자식이 없는 목사님이 아들이 다섯이나 있는 친구 목사님에게 "자네는 아들이 다섯이나 되니, 내게 한 아들만 양자로 줄 수 없겠나? 내 최선을 다해 키워 보겠네" 하며 말했다고 합니다. 그러자 아들이 다섯인 목사님이 "자네라면 불가능한 일도 아니지. 내 진지하게 생각해 보겠네"라고 대답했다고 합니다. 그리고 그날 저녁, 집으로 돌아가 아들 다섯이 나란히 누운 방에 들어가 이 중에 어떤 아들을 양자로 보낼지를 생각해 보았다고 합니다. 생각해 보니 큰아들은 장자라 안 되겠고, 둘째 아들은 제일 공부 잘하고 똑똑해서 안 되겠더랍니다. 셋째 아들은 키가 크고 꽃미남이라 안 되겠고, 넷째 아들은 다섯 중에 가장 몸이 약하고 자주 병들어 이 불쌍한 놈은 차마 내줄 수 없겠더랍니다. 결국 남은 것은 막내뿐인데, 늦은 나이에 얻은 이 귀여운 막내를 보내려니 이 또한 도저히 안 되겠더랍니다. 결국 다섯 아들 중에 하나도 내어 줄 자식이 없음을 깨달은 그날 밤, 이 목사님은 독생자를 내어 주신 하나님의 위대한 사랑, 그 큰 희생의 사랑을 깨우쳤다고 합니다. 십자가는 하나님이 우리를 이처럼 사랑하사 독생자 예수님을 속죄의 제물로 내어 주신 사건입니다.

사람의 관점으로 본 십자가 사건

하나님의 관점으로 본 십자가 사건은, 하나님이 우리를 사랑하사 독생자 예수 그리스도를 속죄의 제물로 내어 주신 사건이라고 했습니다. 여기서 중요한 두 단어는 '사랑하사'와 '주셨으니'입니다. 이 십자가를 사람의 관점으로 보면 우리에게 무슨 의미가 있는 것일까요? 그것은 한마디로, 우리가 그 속죄의 제물로 내어 주신 예수를 믿음으로 영생을 얻었다는 것입니다. 여기에 다시 중요한 두 개의 단어가 있습니다. '믿다'(we believe)와 '얻다'(we have), 곧 '믿는 자마다'와 '영생을 얻고'입니다. 우리는 예수를 믿고(we believe) 그 결과로 무엇을 얻었습니까? 영생을 얻었습니다(we have eternal life). 십자가란 인간의 관점에서 볼 때 어떤 곳일까요? 십자가는 예수 믿고 영생을 얻는 곳입니다.

그런데 영생을 얻는다는 것은 도대체 무엇을 의미하는 것일까요? 영원히 죽지 않는다는 뜻일까요? 아니, 예수 믿는 사람들도 결국에는 다 죽는데, 이것은 무엇을 의미하는 말씀일까요? 우선 여기서 영원한 생명이라고 할 때의 '생명'은 원문에서 '조에'(zoe)라는 단어로 쓰입니다. 그리고 이 조에는 '비오스'(bios)라는 단어와 대조적인 단어임을 알아야 합니다. 비오스가 생물학적 생명이라면, 조에는 영적인 생명, 곧 하나님 당신의 생명(God kind of life)입니다. 이 생명에는 하나님의 성품이 깃들어 있습니다. 그 안에 거룩함이 있고, 그 안에 사랑이 있으며, 그 안에 시들지 않는 기쁨이 있고, 그 안에 하늘의 능력이 깃든 생명인 것입니다. 이는 타락한 인간은 가지지 못한 생명, 곧 새로운 질적인 생명입니다. 그래서 이 생명을 얻는 순간부터 그에게는 새로운 삶이 시작됩니다. 그것은 새롭고도 영원한 생명입니다. 십자가에서 우리를 위해 죽으시고 부활하신 예수 그리스도를 믿음으로 영접하는 순간, 우리는 새로운 피조물이 되어 새 인생을 시작하는 것입니다. 이것이 바로 거듭난다는 의미입니다. 그리고 그는 이제 영원한 세상에 이르기까지 이 영원한 생명을 갖고 살게 되는 것입니다. 이것은 생물학적 생명이 끝나도 계속되는 생명인 것입니다. 우리는 예수 믿고 이와 같은 영생을 누리며 살아야 합니다.

그러나 영생을 얻고 사는 삶이 얼마나 축복이고 감격인가를 알기 위해서는, 영생을 얻지 못하는 인생이 얼마나 비극인가를 알아야 합니다. 본문은 우리가 영생을 얻지 못하면 어떻게 된다고 증언합니까? 멸망한다고 경고합니다. 멸망한다는 것은 무엇을 뜻합니까? 직설적으로 말하면, 지옥으로 떨어진다는 것입니다. 지난 반세기 동안 시카고대학교 종교학부에서 신학과 철학, 종교학을 가르쳤던 마틴 마티(Martin Marty) 교수는 말년에 매우 의미심장한 말을 남겼습니다.

지난 100년간 신학과 철학 그리고 종교학 담론에서 사라진 주제가 있다. 그것은 바로 지옥이라는 주제다. 그런데 예수님의 교훈을 전체적으로 요약해 보면 그분의 교훈의 13퍼센트는 지옥에 관한 것이고, 예수님의 비유 중 3분의 2에 해당하는 내용에 지옥에 관한 교훈이 등장한다. 성경은 이 지옥을 '바깥 어두운 곳', '이를 갈며 통곡하는 곳', '진노의 불이 타오르는 곳' 그리고 '둘째 사망, 곧 영원한 사망의 장소'라고 이야기한다.

오늘 이 시대가 도덕성을 상실한 이유는 학교 교육에서 더 이상 지옥을 가르치지 않고, 설교자들이 우리를 지옥에서 건져 내신 그 위대한 사랑에 대해 설교하기를 중단한 것 때문이 아니냐고 묻는 것입니다.

여러 해 전, 일본의 벳푸라는 온천 지대에서 일본 목회자들을 대상으로 세미나를 인도한 적이 있습니다. 그때 일본 목회자들의 토론 주제는 '왜 일본 성도들은 전도하지 않는가?'였고, 결론은 예측한 대로 '일본 성도들은 지나치게 다른 이들을 의식하고 예절을 지키려 함'(폐를 끼치지 않으려 함)이었습니다. 저는 그들에게 이렇게 도전했습니다.

"만일 한 술 취한 사람이 벳푸의 붉은 용암의 늪을 향해 걸어가고 있다면, 우리는 체면을 차리기 위해 그대로 보고 있어야 옳은 걸까요? 조금 실례가 되어도 그 길을 막고 돌아서라고, 그래야 산다고 말해야 하지 않을까요?"

기독교의 복음이 바로 그런 것입니다. 지금처럼 그대로 살아가면 멸망이라고, 그러나 회개하고 돌이켜 십자가 앞으로 나아와 우리를 위해 죽으시고 다시 사신 예수 그리스도를 믿으면 영생을 얻고 새 삶을 시작할 수 있다고 외치는 것입니다.

사랑은 자기 자신을 내어 주는 것입니다.

하나님은 우리를 사랑하사 독생자,

즉 당신 자신을 내어 주었습니다.

\-

"그 후에 예수께서 제자들과 유대 땅으로 가서 거기 함께 유하시며 세례[침례]를 베푸시더라 요한도 살렘 가까운 애논에서 세례[침례]를 베푸니 거기 물이 많음이라 그러므로 사람들이 와서 세례[침례]를 받더라 요한이 아직 옥에 갇히지 아니하였더라 이에 요한의 제자 중에서 한 유대인과 더불어 정결예식에 대하여 변론이 되었더니 그들이 요한에게 가서 이르되 랍비여 선생님과 함께 요단강 저편에 있던 이 곧 선생님이 증언하시던 이가 세례[침례]를 베풀매 사람이 다 그에게로 가더이다 요한이 대답하여 이르되 만일 하늘에서 주신 바 아니면 사람이 아무것도 받을 수 없느니라 내가 말한바 나는 그리스도가 아니요 그의 앞에 보내심을 받은 자라고 한 것을 증언할 자는 너희니라 신부를 취하는 자는 신랑이나 서서 신랑의 음성을 듣는 친구가 크게 기뻐하나니 나는 이러한 기쁨으로 충만하였노라 그는 흥하여야 하겠고 나는 쇠하여야 하리라 하니라"(요 3:22-30).

10

가장 위대한
겸손

교만을 멀리하고 겸손하라
겸손의 근원 되시는 예수님을 닮으라

이 땅에 사는 사람을 두 가지 유형으로 나눈다면, 겸손한 사람과 교만한 사람으로 나눌 수 있습니다. 구약의 잠언은 종종 이 두 가지 유형의 사람을 대조적으로 그리고 있습니다.

"교만이 오면 욕도 오거니와 겸손한 자에게는 지혜가 있느니라"(잠 11:2).

"겸손한 자와 함께하여 마음을 낮추는 것이 교만한 자와 함께하여 탈취물을 나누는 것보다 나으니라"(잠 16:19).

"사람의 마음의 교만은 멸망의 선봉이요 겸손은 존귀의 길잡이니라"(잠 18:12).

그런데 사람들은 왜 교만해질까요? 우리의 세상살이에서 교만은 일반적으로 비교의식에서 출발합니다. 다른 누구와 비교해서 더 많이 갖고 있다든지, 더 많이 알고 있다든지, 더 좋은 집에서 살고 더 나은 외모를 갖고 있다든지 하는 데서 교만의 심리가 출발합니다.

누군가가 우리나라에서 경험하는 '평등 사회'는 '평수를 따지고 등수를 따지는 사회'라고 자조적으로 말하는 것을 들은 적이 있습니다. 더 넓은 평수에 사는 사람들은 더 좁은 평수에 사는 사람들을 낮추어 보고, 더 좋은 등수로 더 좋은 학교에 간 사람들은 더 낮은 등수로 더 낮은 학교에 간 사람들을 낮추어 봅니다. 더 잘생긴 사람들은 자기보다 못생긴 사람들을 차별하고, 더 못난 사람들은 잘난 사람들의 외모를 폄하함으로 오히려 카타르시스를 경험하고자 합니다. 언젠가 인터넷에서 '잘생김, 못생김 구분법'이라는 유머를 읽은 적이 있습니다. 우선 못생긴 남자들에 대한 말들은 '착하게 생겼네, 공부 잘하게 생겼네, 인상이 좋으시네요, 사람 좋아 보이네요, 남자답게 생겼어요'인 반면, 잘생긴 남자들에게 회자되는 말들은 '싸가지 없게 생겼네, 꼭 기생오라비 같네, 재수 없게 생겼네, 좀 놀았겠구만, 여자 속깨나 썩였겠어'였습니다. 이웃에 대한 질투에서 비롯된, 왜곡된 우리 사회의 가치 평가에 대한 유머라고 할 수 있을 것입니다.

오늘 우리 사회는 더 이상 자신을 있는 모습 그대로 드러내거나, 혹은 스스로를 낮추는 겸손을 칭찬하지 않습니다. 오히려 경쟁을 통한 싸움의 의지로 이웃들을 희롱하고 짓밟으며 사는 자들을 부러워하는 실정입니다. 최근 우리는 이웃들 위에 군림하는 자들을 금수저라 칭하고, 이웃들에게 당하고만 사는 자들을 흙수저라고 부르고 있습니다. 결과적으로 우리 사회에서는 교만한 사람들이 오히려 진취적인 사람 혹은 성공한 대상으로 간주되고 있습니다. 그러나 성경은 언제나 일관성 있게 교만을 정죄하고 겸손을 높입니다.

> "하나님은 교만한 자를 대적하시되 겸손한 자들에게는 은혜를 주시느니라"(벧전 5:5).

왜 하나님은 교만을 대적하실까요? 성경은 교만의 근원이 마귀라고 말씀합니다. 반대로 겸손의 근원은 예수님이십니다. 예수님은 친히 "나는 마음이 온유하고 겸손하니"(마 11:29)라고 말씀하셨습니다.

본문은 예수님보다 앞서 와서 예수님을 증거한, 예수님을 가장 닮은 한 사람을 소개합니다. 그는 바로 세례(침례) 요한입니다. 예수님은 그를 가리켜 "여자가 낳은 자 중에 세례(침례) 요한보다 큰 이(위대한 사람, greater person)가 일어남이 없도다"(마 11:11)라고 말씀하셨습니다. 요한이 이렇게 위대한, 그러나 겸손의 사람이 될 수 있었던 비밀은 무엇일까요?

하나님의 주권적 은사를 이해함

본문 22절은 예수님이 제자들과 유대 땅에서 세례(침례)를 베풀고 계셨다고 증거합니다. 아마 직접 베푸신 것이 아니라, 제자들을 통해서 세례(침례)식을 행하신 경우였을 것입니다. 그런데 23절은 요한도 살렘 가까운 애논이란 곳에서 동시에 사람들에게 세례(침례)식을 행하고 있었다고 증거합니다. 많은 사람이 자원해서 요한에게 세례(침례)를 청하고 있었다고 말합니다. 그런데 26절을 보십시오.

> "그들이 요한에게 가서 이르되 랍비여 선생님과 함께 요단강 저편에 있던 이 곧 선생님이 증언하시던 이가 세례[침례]를 베풀매 사람이 다 그에게로 가더이다"(요 3:26).

요한의 경쟁심 혹은 질투심을 자극하는 말이었습니다. 이런 표현입니다.

"애논교회 요한 목사님의 설교를 듣고 세례(침례)를 받으러 나아오던 이들이 최근에는 살렘교회로 가서 나사렛 예수님의 설교를 듣고 그에게 직접 세례(침례)를 받으려 합니다."

이때 요한이 보통 사람이라면 "내가 그 선생을 인정하고 소개했는데, 그가 왜 내 교구에 와서 그런 일을 하느냐"라고 반응할 만한 상황이었습니다. 그런데 요한의 반응을 보십시오.

"요한이 대답하여 이르되 만일 하늘에서 주신 바 아니면 사람이 아무것도 받을 수 없느니라"(요 3:27).

즉, 하늘의 하나님이 그분을 통해 그런 일을 하도록 은사를 주셨기 때문에, 그분이 그런 사역을 하시는 것이라고 대답한 것입니다. 이것이 바로 세례(침례) 요한의 인격의 크기입니다.

이러한 요한의 겸손 뒤에는 하나님의 주권적 은사에 대한 신뢰가 있었다고 생각합니다. 성경에 보면, 성령 하나님은 각 사람에게 당신의 뜻에 따라 다양한 은사를 주신다고 기록되어 있습니다.

"우리에게 주신 은혜대로 받은 은사가 각각 다르니"(롬 12:6).

은사란 하늘의 선물입니다. 하나님은 하늘나라의 뜻을 이루고자 이 땅에서 일하는 일꾼들에게 각기 다른 은사들을 주셔서 사역을 감당하게 하십니다. 우리는 우리에게 주신 은사에 따라 우리 몫의 사역을 감당하면 됩니다. 마지막 심판의 날, 인생의 주인 되신 하나님은 큰 은사, 작은 은사를 따라 우리가 얼마나 큰일, 작은 일을 했는가를 평가하지 않고, 얼마나 신실하게 감당했는가를 판단하실 것입니다. 그것이 바로 달란트 비유의 교훈이 아닙니까? 우리는 한 달란트, 두 달란트, 다섯 달란트라고 하니까 매우 적은 액수로 오해 하는데, 당시 금 한 달란트는 20년 치 생활비에 해당되는 액수였습 니다. 그러므로 다섯 달란트 받은 사람이 다섯 달란트를 남긴 것은 어마어마한 것을 남긴 것입니다. 그럼에도 불구하고 돌아온 주인 은 "네가 작은 일에 충성했다"고 말합니다. 이것이 바로 하나님의 관점입니다. 전능자인 그분에게는 큰 것도 작은 것이고, 작은 것도 작은 것입니다. 그러므로 중요한 것은 크냐, 작으냐가 아니라 성실 입니다. 각자 자신의 은사를 따라 성실하게 살면 그것으로 족합니 다. 그러나 우리가 다른 사람의 은사를 질투하기 시작하면, 그때부 터 우리의 가능성은 오히려 제한되는 것입니다.

영화와 뮤지컬 〈아마데우스〉(Amadeus)로 잘 알려진 음악가 안토 니오 살리에리(Antonio Salieri)의 경우가 그런 예를 대표한다고 할 수 있을 것입니다. 오스트리아의 궁중악장이며, 가난한 환경 속에 서도 최고의 자리에 도달한 자수성가형 인물이었습니다. 사랑하 는 아내와 그를 따르는 많은 후학이 있었고, 황제의 총애를 받으며 인생의 정점을 향해 가던 중이었습니다. 그런 그가 암초를 만나게 됩니다. 그의 앞에 천재 모차르트(Wolfgang Amadeus Mozart)가 등장 한 것입니다. 일필휘지(一筆揮之)로 단 하나의 음표 수정도 없이 곡 을 쓰는 그를 보며 살리에리는 질투에 사로잡히게 됩니다. 그때부 터 그의 인생은 휘청거리기 시작했고, 심지어 훗날에는 모차르트 를 독살한 배후로 의심을 받기도 합니다. 그 역시 나름대로 위대

122

한 성취와 기여를 이루었음에도, 질투가 그의 인생을 뒤흔들고 말 았습니다. 우리 사회는 천재적인 재능보다 성실한 노력의 결과를 필요로 하고 있음에도, 살리에리의 질투심이 그런 노력을 포기하게 만든 것입니다. 그에게는 모차르트를 향한 하나님의 주권적 은사를 수용할 수 있는 믿음이 없었던 것입니다. 반면, 세례(침례) 요한은 하나님의 주권적 은사를 수용하고 예수님의 신실한 증언자가 될 수 있었습니다.

자신의 소명적 위치를 이해함

요한의 겸손을 이해하는 두 번째 열쇠는, 그가 자신의 소명적 위치를 이해하고 있었다는 사실입니다.

> "내가 말한바 나는 그리스도가 아니요 그의 앞에 보내심을 받은 자라고 한 것을 증언할 자는 너희니라"(요 3:28).

자신의 정체성에 대한 분명한 이해를 가지고 있었음을 확인할 수 있는 장면입니다. 이어지는 고백은 무엇입니까?

> "신부를 취하는 자는 신랑이나 서서 신랑의 음성을 듣는 친구가 크게 기뻐하나니 나는 이러한 기쁨으로 충만하였노라"(요 3:29).

세례(침례) 요한은 신랑의 친구, 즉 신랑의 들러리로 만족한다는 것입니다. 하나님이 그의 역할을 들러리로 부르셨다면, 들러리로 만족할 수 있어야 하지 않겠습니까? 모든 사람이 다 신랑이 될 수는 없는 것 아닙니까? 소명은 부르심입니다. 자신을 향한 하늘의 부르심이 무엇인지 알고 그 역할에 충실함으로 느끼는 보람, 이것이 한 사람의 삶을 진지하고 가치 있게 만드는 것입니다.

유명한 지휘자 레너드 번스타인(Leonard Bernstein)에게 누군가가, 오케스트라에서 가장 구하기 힘든 연주자는 어떤 파트인지를 물었다고 합니다. 그때 그의 대답은 제2바이올리니스트였다고 합니다. 제1연주자는 많지만, 그와 함께 아름다운 화음을 이루어 줄 제2연주자를 찾기가 용이하지 않다는 것입니다. 만일 아무도 제2연주자가 되기를 원치 않는다면, 오케스트라의 아름다운 음악은 불가능할 것입니다. 하나님도 당신의 오케스트라에서 자신의 소명을 따라 그 위치를 지킬 줄 아는 제2바이올리니스트를 필요로 하십니다. 세례(침례) 요한은 자신의 소명이 예수님의 오실 길을 준비하고, 그분을 높이는 일이라는 것을 분명히 알고 있었던 사람이었습니다. 30절에 나타난 그의 위대한 고백을 들어 보십시오.

"그는 흥하여야 하겠고 나는 쇠하여야 하리라"(요 3:30).

그는 결국 참수형을 당하며 자신의 목숨을 순교의 제물로 드리게 됩니다. 예수님이 이런 요한을 가리켜 '여자가 낳은 자 중 가장 위대한 사람'이라고 말한 것이 이해되지 않습니까?

성자 하나님이신 예수님은 당신이 성부 하나님과 동등이었으나, 삼위 하나님의 뜻을 이루고자 "하나님과 동등됨을 취할 것으로 여기지 아니하시고 … 자기를 낮추시고 죽기까지 복종"(빌 2:6, 8)하셨다고 말씀합니다. 여기서 우리는 진정한 겸손의 의미를 만나게 됩니다. 하나님의 뜻을 이루고자 죽기까지 자신을 비우고, 낮추고, 복종하는 것입니다. 예수 그리스도야말로 그런 완벽한 겸손의 인생을 살았던 분이십니다. 예수 그리스도의 제자로 인생을 산다는 것은 무엇을 뜻합니까? "나는 마음이 온유하고 겸손"(마 11:29)하다고 말씀하신 그분을 따라, 날마다 자신을 부인하고 십자가를 지고 그분을 따르는 것이 아니겠습니까? 예수 그리스도의 제자도는 아직도 우리가 이 예수님의 겸손을 배워야 할 필요를 가르치고 있습니다.

오늘의 세상은 인기 있는 사람을 만들어 내기에 바쁘게 돌아가고 있습니다. 대중 매체는 진정한 기도와 땀과 대가가 없이도 순식간에 가공된 명성을 얻게 할 수 있습니다. 그래서 유명한 사람은 많아지고 있지만, 세상을 감동시키거나 움직일 수 있는 위대한 인격을 만들어 내지는 못하는 비극의 시대가 되어 가고 있습니다. 그 이유는, 사람들이 소명의 가치를 상실했기 때문입니다. 자신이 그리스도인으로 왜 여기에 있는가를 묻지 않는 것입니다. 무엇보다 그리스도를 따라감의 의미를 진지하게 성찰하지 않는 것입니다.

오스 기니스(Os Guinness)의 책 《소명》(IVP 역간)에는 미국 연방

정부의 고위 관리였으며, 서독 대사를 지냈고, 아이젠하워(Dwight Eisenhower)부터 로널드 레이건(Ronald Reagan) 대통령에 이르기까지 경제 자문관으로 활동했던 아더 번스(Arthur Burns)에 관한 이야기가 나옵니다. 유대인이었던 그는 누군가의 초청을 받아 백악관에서 정기적으로 열리는 기도회에 참석하게 되었습니다. 사람들은 그가 유대인인 것을 배려해서 그에게만은 공적인 기도 순서를 맡기지 않았습니다. '예수님의 이름으로 기도합니다'를 할 수 없었기 때문입니다. 그런데 어느 날, 그의 민족적 정체성을 알지 못했던 사회자가 그에게 마지막 폐회 기도를 부탁했습니다. 모두가 긴장한 순간, 그는 이렇게 기도했다고 합니다.

주님, 유대인들이 예수 그리스도를 알게 해 주시기를 기도합니다. 회교도들도 예수 그리스도를 알게 해 주시기를 기도합니다. 끝으로 주님, 그리스도인들도 그리스도를 알게 해 주시기를 기도합니다. 아멘.

지금 우리 시대가 요구하는 인물은 그리스도처럼, 그리스도의 제자 요한처럼 겸손한 사람입니다. 진정으로 위대한 겸손의 사람입니다. 그런 사람이 되기를 기도하십시오.

소명은 부르심입니다.
자신을 향한 하늘의 부르심이 무엇인지 알고
그 역할에 충실함으써 느끼는 보람,
이것이 한 사람의 삶을 진지하고 가치 있게 만듭니다.

\-

"사마리아 여자 한 사람이 물을 길으러 왔으매 예수께서 물을 좀 달라 하시니 이는 제자들이 먹을 것을 사러 그 동네에 들어갔음이러라 사마리아 여자가 이르되 당신은 유대인으로서 어찌하여 사마리아 여자인 나에게 물을 달라 하나이까 하니 이는 유대인이 사마리아인과 상종하지 아니함이러라 예수께서 대답하여 이르시되 네가 만일 하나님의 선물과 또 네게 물 좀 달라 하는 이가 누구인 줄 알았더라면 네가 그에게 구하였을 것이요 그가 생수를 네게 주었으리라"(요 4:7-10).

11

사마리아 여인의 성탄

메시아는 그리스도시요,
이는 '기름 부음을 받으신 이'라는 뜻이다

요한복음 3장과 4장은 여러 면에서 극적인 대조를 이루고 있습니다. 3장의 주인공은 니고데모라는 남자이고, 4장의 주인공은 무명의 사마리아 여인입니다. 3장의 니고데모는 유대인의 고위 관원으로, 매우 도덕적인 랍비였습니다. 반면 4장의 여인은 천대받는 사마리아 출신으로, 남편을 다섯 번이나 바꾼 과거를 지닌 사람이었습니다. 3장의 니고데모가 예수님을 찾아온 시각은 밤이었습니다. 그러나 4장의 여인이 예수님과 만난 시각은 한낮 정오였습니다. 니고데모는 예수님을 자발적으로 찾아온 반면, 사마리아 여인은 도리어 예수님이 먼저 찾아와 우물가에서 기다리고 계셨습니다. 니고데모가 예수님과 나눈 대화의 주제는 거듭남이었습니다. 그러나 사마리아 여인이 예수님과 나눈 대화의 주제는 영생의 생수였습니다. 이런 극적인 차이에도 불구하고 공통점이 있다면, 그들이 모두 예수님을 메시아로 만나고 믿게 되었다는 것입니다. 그런 의미에서 그들은 모두 진정한 성탄을 경험한 사람들입니다. 예수님을 자신들의 구주로 만나는 경험을 하게 되었다는 말입니다.

우리는 요한복음 4장에서 사마리아 여인이 예수님을 구주로 만나는 단계를 추적해 보고자 합니다. 그녀의 구도적 과정은 오늘날 우리 시대의 사람들이 경험하는 구도의 과정과 크게 다르지 않다는 것을 함께 주목하고자 합니다. '구도자'의 사전적 정의는 "깨달음을 구하는 자. 깨달음을 구하려는 마음을 일으킨 자"(국립국어원 표준국어대사전)이며, 영어로는 'seeker'입니다. 진리를 찾는 사람이라는 의미입니다. 오늘은 진지한 구도자를 상실한 시대입니다. 어떤 이에게는 평생이 구도의 과정일 수 있습니다. 그러나 또 어떤 이에게는 짧은 한순간일 수도 있습니다. 요한복음 4장은 비교적 짧은 대화를 통해, 이 여인이 마침내 진리에 도달하고 있음을 보여 줍니다. 이 여인을 통해 배우는 구도의 과정은 무엇입니까?

예수님과 전혀 무관한 단계

"사마리아 여자가 이르되 당신은 유대인으로서 어찌하여 사마리아 여자인 나에게 물을 달라 하나이까 하니 이는 유대인이 사마리아인과 상종하지 아니함이러라"(요 4:9).

이 말씀 속에 나타난 사마리아 여인의 예수님관은 이렇습니다.

"당신은 유대인, 나는 사마리아 사람이고, 당신은 남자, 나는 여자인데, 당신과 내가 도대체 무슨 관계가 있다고 나에게 물을 달라고 청하시나요?"

오늘 거리로 나가 한 사람을 붙들고 예수를 믿으라고 한다면, 그의 마음에 떠오르는 평균적인 예수님에 대한 이미지는 어떤 것일까요?

'예수는 유대인, 나는 대한민국인, 예수는 1세기 사람, 나는 21세기 사람, 예수는 예수교의 창시자, 나는 무신론자, 나는 불교인, 나는 유교인…. 도대체 나와 예수가 무슨 관계가 있단 말입니까?'

아마도 이런 생각이 대부분의 불신자들 혹은 비그리스도인의 마음속에 나타난 예수님관을 대표하는 질문이 아니겠습니까?

그러나 괜찮습니다. 이 땅에서 삶을 영위하는 평범한 구도자들의 예수님 이해는 그렇게 출발하기 마련입니다. 사마리아 여인의 구도도 그렇게 시작되었습니다. 생존의 문제를 해결하고자 정오 무렵 사막의 우물가에 물을 길러 왔다가, 우연히 만난 한 사람이 건넨 '물을 좀 달라'는 요청에서 구도의 대화가 시작된 것입니다. 생존의 여정에서 만난 누군가와의 우연한 대화는 그녀에게 예수라는 낯선 이에 대한 생각을 품게합니다. 지금까지는 예수라는 존재와 상종하지 않고도 인생을 잘만 살아왔습니다. 그런데 어느 날 던져진 이 낯선 질문, 예수를 아느냐는 것입니다. 예수를 믿겠느냐는 것입니다. 그녀의 대답은 당연히 "나는 그와 무관한 사람입니다", "나, 예수 관심 없어요"였습니다. 그런데 이 낯선 존재가 걸어온 대화 속에서 여인의 예수님관이 변화를 가져옵니다. 그래서 상대의 반응과 상관없이 모든 구도의 대화는 중요한 것입니다. 다음 단계에서 이 여자의 변화된 예수님관을 주목해 보십시오.

예수님을 선물을 제공하는 분으로 이해하는 단계

이제 본문 10절에서 예수님의 여인을 향한 대답을 경청해 보십시오.

> "예수께서 대답하여 이르시되 네가 만일 하나님의 선물과 또 네게 물 좀 달라 하는 이가 누구인 줄 알았더라면 네가 그에게 구하였을 것이요 그가 생수를 네게 주었으리라"(요 4:10).

이 흥미로운 대화의 전개를 주목해 보십시오. 처음에 사막의 우물가에서 이 여인을 기다리고 계셨던 예수님이 물을 길러 온 여인에게 처음으로 건네신 말씀은 '물을 좀 달라'는 것이었습니다. 그런데 예수님의 대답은 의외였습니다. '네게 물을 달라 한 내가 누구인지를 참으로 알았더라면, 사실은 내가 아니라 오히려 네가 나에게 물을 달라고, 진짜 생수를 달라고 했을 것'이라는 말씀이었습니다. 사막에서 좋은 우물을 발견하는 것은 가장 위대한 생존의 축복이었기에, 여인은 다시 질문합니다.

"여자가 이르되 주여 물 길을 그릇도 없고 이 우물은 깊은데 어디
서 당신이 그 생수를 얻겠사옵나이까"(요 4:11).

그러자 예수님은 14절에서 위대한 약속으로 이 여인을 초대하
십니다.

"내가 주는 물을 마시는 자는 영원히 목마르지 아니하리니 내가 주
는 물은 그 속에서 영생하도록 솟아나는 샘물이 되리라"(요 4:14).

바로 이 대목에서, 이 여인의 반응은 처음 대화의 시작에서 보인
관점과 전혀 다른 변화를 보입니다.

"여자가 이르되 주여 그런 물을 내게 주사 목마르지도 않고 또 여
기 물 길으러 오지도 않게 하옵소서"(요 4:15).

이제 이 여인은 예수님을, 자신에게 무엇인가 중요한 생존의 약
속을 제공할 수 있는 분으로 이해하기 시작한 것입니다. 처음 보
여 준 '나와 무관한 예수'에서 '내게 하나님의 선물을 제공할 수 있
는 분'으로 관점이 변화된 것입니다. 물론 이 시점에서 그녀가 예
수님이 말씀하신 하나님의 선물, 곧 목마르지 않는 영원한 생수의

의미를 다 이해했다고 할 수는 없습니다. 그러나 예수님을, 자신에게 중요한 그 무엇(something)을 제공할 수 있는 분으로 생각하기 시작한 것입니다.

어떤 이는 구도의 과정에서 예수를 새로운 철학의 제공자로, 인생 문제의 해답자로, 마음을 치유하는 치유자 혹은 몸의 병을 고치는 분으로 이해하기도 합니다. 아직은 성경적인 예수관에 훨씬 미치지 못하지만, 그래도 처음과는 다른 대단한 변화가 아니겠습니까? 그렇습니다. 이제 더 중요한 세 번째 관점의 변화가 이 여인을 기다리고 있습니다.

예수님을 선지자 혹은 초자연적 스승으로 이해하는 단계

자신에게 그런 물을 달라는 여인의 응답에, 예수님은 전혀 예상하지 못한 놀랍고 충격적인 질문으로 당신의 참된 존재와 면모를 드러내기 시작하십니다. 16절에서, 그분은 이 여인에게 "가서 네 남편을 불러 오라"라고 말씀하십니다. 예수님의 요청에 여인이 "나는 남편이 없나이다"(요 4:17)라고 하자, 예수님은 여인에게 "너에게 남편 다섯이 있었고 지금 있는 자도 네 남편이 아니니 네 말이 참되도다"(요 4:18)라고 말씀하십니다. 이 여인이 얼마나 놀랐을까요? '나를 만난 적도 없이 내 모든 과거와 현재를 아시는 분! 도대체 이 예수는 누구란 말인가?' 이런 생각이 들지 않았을까요? 여인의 반응을 보십시오.

<blockquote>

"여자가 이르되 주여 내가 보니 선지자로소이다"(요 4:19).

</blockquote>

이 대목에서 그녀는 처음에 전혀 의도하지 않았던 두 가지 단어를 사용합니다. 하나는 '주여'라는 단어고, 또 하나는 '선지자'라는 단어입니다.

이스라엘 전통에서는 진심으로 존경하는 스승을 향해서만 '주'라는 호칭을 사용합니다. 이어서 사용한 '선지자'라는 단어에는, 우선적으로 자신의 비밀까지 꿰뚫어 보는 초자연적인 은사를 지닌 신령한 스승이라는 의미가 담겨 있었을 것입니다. 사람들이 예수님을 이해해 가는 과정에서, 어느 순간 그분을 세계 4대 성인의 한 분으로, 혹은 위대한 영적 교사로, 혹은 비범한 영성을 지닌 선지자 또는 예언자로 추앙하게 됩니다. 그러나 이런 수준에서 예수를 이해한 사람들을 그리스도인이라고 부를 수는 없습니다. 그들은 아직 진짜 예수를 만나지 못한 것입니다. 이제 진짜 중요한 극적 순간이 기다리고 있습니다. 그녀가 마침내 예수님을 메시아로 만나는 단계입니다.

예수님을 메시아로 만나는 단계

예수님과의 지속적인 대화 중 마침내 여인의 마음에 떠오른 중요한 단어, 그것은 바로 '메시아'였습니다.

> "여자가 이르되 메시아 곧 그리스도라 하는 이가 오실 줄을 내가 아노니 그가 오시면 모든 것을 우리에게 알려 주시리이다"(요 4:25).

이 고백에 대한 예수님의 반응은 무엇입니까?

> "예수께서 이르시되 네게 말하는 내가 그라"(요 4:26).

이 구도의 절정의 순간은 바로 예수님의 참된 자기 계시를 접하는 순간입니다.

'메시아'라는 말은 본래 아람어지만, 이 단어를 헬라어로 표기하면 '그리스도'입니다. 이는 '기름 부음을 받으신 이'(anointed one)라는 뜻입니다. 예수를 메시아로 혹은 그리스도로 만나는 순간이었던 것입니다. 진지한 예수의 구도자들은 모두 이 고백의 순간에 도달하게 됩니다. 마태복음 16장 16절에 기록된 베드로의 고백을 보십시오.

> "시몬 베드로가 대답하여 이르되 주는 그리스도시요 살아 계신 하

나님의 아들이시니이다."

주는 곧 그리스도이십니다! 이것이 바로 기독교 신앙 고백의 핵심입니다. 우리는 흔히 예수님의 이름을 '예수 그리스도'라고 부릅니다. 그러나 그리스도는 본래 예수님의 이름이 아니라 타이틀입니다. 그분의 사명적 칭호라고 할 수 있습니다.

구약 시대부터 주의 백성은 메시아, 곧 그리스도를 기다려 왔습니다. 하나님이 기름 부어 주셔서 오실 우리의 왕, 선지자, 제사장, 곧 우리를 다스리고, 가르치고, 무엇보다 우리의 속죄자가 되실 분을 기다려 왔습니다. 마침내 베드로는 예수가 그리스도이심을 깨달은 것입니다. 그리고 고백한 것입니다. 이 고백을 예수님이 얼마나 기뻐하셨는지 생각해 보십시오.

> "예수께서 대답하여 이르시되 바요나 시몬아 네가 복이 있도다 이를 네게 알게 한 이는 혈육이 아니요 하늘에 계신 내 아버지시니라"(마 16:17).

유진 피터슨(Eugene Peterson)은 《메시지》(복있는사람 역간)에서 이 내용을 이렇게 번역했습니다.

> "요나의 아들 시몬아, 너는 하나님의 복을 받았다! 너의 그 대답은 책이나 교사들한테서 나온 것이 아니다. 하늘에 계신 내 아버

지 하나님께서 친히 네게, 참으로 내가 누구인지 그 비밀을 알려 주셨다."

이 비밀을 깨닫고 예수를 그리스도로 믿고 고백하는 사람들, 그들이 바로 그리스도인인 것입니다. 사마리아 여인이 예수를 그리스도로 깨닫고 믿는 순간 그녀에게 일어난 변화가 무엇이겠습니까? 하늘의 생수가 그녀의 영혼을 채운 것입니다. 영혼의 목마름이 사라진 것입니다. 그녀의 마음속에서 예수가 그리스도로 태어나신 것입니다.

사마리아 여인이 예수를 그리스도로 만나고 제일 먼저 한 일이 무엇이었습니까? 우물가에 물 길러 온 여인이 물 길을 생각을 않고 동네로 다시 들어갔습니다.

"여자가 물동이를 버려두고 동네로 들어가서 사람들에게 이르되 내가 행한 모든 일을 내게 말한 사람을 와서 보라 이는 그리스도가 아니냐 하니"(요 4:28-29).

그녀는 이제 예수를 그리스도로 증거하는 사람이 된 것입니다. 이 순간의 감격을 이해인은 그녀의 시 〈우물가의 사마리아 여인처럼〉에서 다음과 같이 고백합니다.

당신이 깊고 맑은 우물 자체로

제 곁에 서신 순간부터

저의 매일은 새로운 축제입니다.

긴 세월 고여 왔던 슬픔과 목마름도

제 항아리 속의 물방울처럼

일제히 웃음으로 춤추며 일어섭니다.

당신을 만난 기쁨이 하도 커서

제가 죄인임을 잠시 잊더라도

용서해 주시겠지요?

주님, 당신을 사랑하는 기쁨은

참으로 감출 수가 없습니다.

물동이를 버려 두고 동네로 뛰어나간

우물가의 그 사마리아 여인처럼

저도 이제는 더 멀리 뛰어가게 하소서.

더 많은 이들을 당신께 데려오기 위하여

그리고 생명의 물 이야기를 하기 위하여

_이해인, 《사계절의 기도》(분도출판사)

이것이 바로 성탄의 감동입니다. 메리 크리스마스!

"예수께서 다시 갈릴리 가나에 이르시니 전에 물로 포도주를 만드신 곳이라 왕의 신하가 있어 그의 아들이 가버나움에서 병들었더니 그가 예수께서 유대로부터 갈릴리로 오셨다는 것을 듣고 가서 청하되 내려오셔서 내 아들의 병을 고쳐 주소서 하니 그가 거의 죽게 되었음이라 예수께서 이르시되 너희는 표적과 기사를 보지 못하면 도무지 믿지 아니하리라 신하가 이르되 주여 내 아이가 죽기 전에 내려오소서 예수께서 이르시되 가라 네 아들이 살아 있다 하시니 그 사람이 예수께서 하신 말씀을 믿고 가더니 내려가는 길에서 그 종들이 오다가 만나서 아이가 살아 있다 하거늘 그 낫기 시작한 때를 물은즉 어제 일곱 시에 열기가 떨어졌나이다 하는지라 그의 아버지가 예수께서 네 아들이 살아 있다 말씀하신 그때인 줄 알고 자기와 그 온 집안이 다 믿으니라 이것은 예수께서 유대에서 갈릴리로 오신 후에 행하신 두 번째 표적이니라"(요 4:46-54).

12

말씀을 믿고
가라

하나님의 말씀을 받는 것보다
더 위대한 사건은 없다

'고사 상태'라는 말이 있습니다. 묘목들이 제대로 자라지 못한 채 말라 죽어 갈 때 사용되는 말입니다. '고사 직전'이라는 말도 있습니다. 경기가 고양되지 못하고 경제가 바닥을 칠 때, 부동산 가격이 폭락할 때도 이런 표현이 사용됩니다. 그러나 우리는 우리네 삶이 절망의 벽에 부딪혔을 때에도 이런 표현을 사용합니다.

"지금 내 인생은 고사 상태라고!"

더 이상 미래가 없어 보인다는 말입니다. 희망이 바닥났다는 말입니다. 본문에 보면 당시 이스라엘 갈릴리 지역을 다스리던 헤롯 안디바스왕의 신하가 예수님을 찾아와 같은 표현의 말로 도움을 호소합니다.

"내 아들이 거의 죽게 되었습니다."

왕의 신하의 고백이 우리 시대의 절망을 대표하는 고백처럼 들리지 않습니까?

'내 아들이, 내 자녀가 거의 죽게 되었나이다.'

'이 땅의 젊은이들이 거의 죽게 되었나이다.'

'우리의 꿈꾸던 희망이 거의 죽게 되었나이다.'

그러나 절망 가운데 머물러 있어서는 안 됩니다. 그러기 위해 우리가 해야 할 일은 무엇일까요? 그 일을 본문에 등장하는 왕의 신하의 결단을 통해 살펴보고자 합니다. 그는 절망의 밤에 새벽을 연 기적의 사람이었습니다. 그가 그의 아들을, 아니 그의 미래를 살려 내기 위해 한 일은 무엇이었습니까?

예수께로 나아감

"그가 예수께서 유대로부터 갈릴리로 오셨다는 것을 듣고 가서 청하되 내려오셔서 내 아들의 병을 고쳐 주소서 하니 그가 거의 죽게 되었음이라"(요 4:47).

인생을 살면서 모든 희망의 끈이 떨어질 때, 우리가 바라볼 마지막 잎새 같은 희망은 무엇일까요?

작가 중에 오 헨리(O. Henry)라는 이름을 기억할 것입니다. 그가 남긴 불멸의 단편소설은 《마지막 잎새》입니다. 삶에 대한 희망을 잃고 병들어 죽어 가는 화가 지망생인 한 여인이 창밖을 내다보면서 절망적인 생각에 빠져듭니다. 창밖에는 추워지는 날씨와 함께 맞은편 벽에 붙은 담쟁이 잎들이 한 잎 두 잎 떨어지고 있습니다. 여인은 마지막 잎새가 떨어지면 자기도 이 땅에서의 삶이 끝날 것이라는 생각에 사로잡힙니다. 그때, 같은 건물 아래층에 세 들어 살며 술로 세월을 보내는, 성공하지 못한 늙은 화가 베어맨이 찾아와 이 여인을 격려합니다. 그러나 여인은 의례적인 인사라고만 생각하고, 비바람이 불기 시작한 저녁 창밖을 내다봅니다. 이제 몇 잎 남지 않은 앙상한 나뭇가지를 바라보며, 아마도 내일 아침이면 마지막 잎새가 떨어질 것이라고 생각합니다. 그리고 자신도 이 세상과 작별을 고하겠노라 다짐합니다. 그런데 밤이 지나고 아침이 밝아 와 커튼을 걷었을 때, 여인은 맞은편 담쟁이 넝쿨에 꼼짝 않고 붙어 있는 마지막 잎새를 보게 됩니다. 여인은 이 기적 같은 장면을 보고 삶의 의욕을 되찾아 먹을 것을 찾습니다. 그러나 아침의 거리에는 늙은 화가가 쓰러져 있습니다. 비바람 치던 간밤에, 그는 불편한 몸을 이끌고 필생의 역작인 마지막 잎새를 그려 낸 것입니다. 이 늙은 화가는 자신의 헌신과 희생으로 한 여인의 생명을 살려 낼 수 있었습니다.

그런데 바로 동일한 일을 예수님이 하지 않으셨습니까? 그분의 헌신, 희생, 죽으심이 바로 인류를 살려 내는 구원이 되지 않았습니까? "나는 부활이요 생명이니 나를 믿는 자는 죽어도 살겠고"(요 11:25)

라고 말씀하신 그 예수야말로 인류의 마지막 희망의 잎새가 아니
겠습니까?

왕의 신하는 이 마지막 잎새 같은 희망을 가지고 예수님께 나아
왔습니다. 본문은 왕의 신하가 갈릴리 가나에 도착하면서 시작되
는 사건입니다.

> "예수께서 다시 갈릴리 가나에 이르시니 전에 물로 포도주를 만
> 드신 곳이라 왕의 신하가 있어 그의 아들이 가버나움에서 병들었
> 더니 그가 예수께서 유대로부터 갈릴리로 오셨다는 것을 듣고 가
> 서 청하되 내려오셔서 내 아들의 병을 고쳐 주소서 하니 그가 거
> 의 죽게 되었음이라"(요 4:46-47).

왕의 신하는 왜 이렇게 예수를 찾게 되었을까요? 틀림없이 그는
갈릴리 가나에서 예수님이 행하신 첫 번째 기적에 대해 들었을 것
입니다. 물을 포도주로 변화시키신 분, 요한이 하나님의 어린양이
라고 증거한 분, 메시아로 알려지신 분, 예수가 그런 분이라면 자
신의 아들도 살려 내실 것이라고 믿었던 것입니다. 그래서 예수님
께 나아온 것입니다. 우리는 어떻습니까? 우리는 우리의 마지막 희
망이신 예수님께로 나아오고 있습니까? 아니, 절망의 벽에 부딪힌
우리의 이웃들을 예수님에게로 초대하고 있습니까?

예수의 말씀을 받음

처음에 이 왕의 신하가 예수님께 나아왔을 때, 그가 기대한 것은 말씀이 아니라 기적이었습니다. 물이 포도주로 변한 것은 눈으로 볼 수 있는 표적이었기에, 이와 유사한 현상의 기적이나 표적을 기대한 것입니다. 그는 예수님이 병들어 죽어 가는 자신의 아들의 병상에 왕림해서 손을 얹고 기도함으로, 아들이 벌떡 일어나는 기적을 기대한 것으로 보입니다. 그리고 예수님은 그런 그의 마음을 알고 계셨습니다. 예수님은 무엇이라고 말씀하십니까?

> "예수께서 이르시되 너희는 표적과 기사를 보지 못하면 도무지 믿지 아니하리라"(요 4:48).

그러나 이 왕의 신하는 아직도 예수님을 향한 마지막 잎새 같은 기대를 거둘 수가 없었습니다. 그래서 다시 어떻게 애원합니까?

> "신하가 이르되 주여 내 아이가 죽기 전에 내려오소서"(요 4:49).

갈릴리 가나에서 아들이 누워 있는 가버나움까지, 약 34킬로미터의 거리가 되는 그곳까지 가 달라는 강청이었습니다. 그런데 예수님의 응답은 무엇이었습니까?

"예수께서 이르시되 가라 네 아들이 살아 있다"(요 4:50).

다시 말하면, 예수님은 말씀만 하신 것입니다. 그런데 중요한 것은, 이 말씀을 왕의 신하가 믿음으로 받았다는 것입니다. 우리는 기독교를 '말씀의 종교'라고 합니다. 태초의 천지창조도 말씀으로 시작되었습니다.

"태초에 하나님이 천지를 창조하시니라"(창 1:1).

어떻게 창조가 시작되었습니까?

"하나님이 이르시되 빛이 있으라"(창 1:3).

하나님은 말씀으로 천지 만물, 우주를 창조하셨습니다. 그리고 그분은 인간을 말씀으로 새롭게 변화시키십니다.

"그가 그 피조물 중에 우리로 한 첫 열매가 되게 하시려고 자기의 뜻을 따라 진리의 말씀으로 우리를 낳으셨느니라"(약 1:18).

하나님이 우리에게 말씀하신다는 것은 창조의 사건입니다. 변화의 사건입니다. 그분의 말씀을 받는 것보다 더 위대한 사건은 없습니다.

예수의 말씀을 믿음

본문에 증거된 이 왕의 신하의 반응을 주목하십시오.

> "예수께서 이르시되 가라 네 아들이 살아 있다 하시니 그 사람이
> 예수께서 하신 말씀을 믿고 가더니"(요 4:50).

말씀을 믿었다고 했습니다. 믿고 갔다고 했습니다. 드디어 이 왕의 신하는 말씀을 믿는 자리에 도달합니다. 처음에 그가 예수를 찾아왔을 때, 그의 믿음은 표적 신앙 혹은 기적 신앙에 불과했습니다. 혹시나, 행여나 예수님이 자기 인생에 기적의 은총을 베풀어 주시기를 기대하며 나아오는 믿음이었습니다. 실제로 오늘날 많은 사람이 교회에 나와 표현하는 신앙의 수준도 이런 자리인 것을 볼 수 있습니다. 기적을 보지 않으면 믿지 못하겠다는 것입니다. "보여 주십시오. 그러면 믿겠습니다"라고 말하는 사람이 얼마나 많습니까? 그런데 예수님의 대답은 그분이 나사로의 무덤 앞에서 선포하신 것처럼 "믿으면 … 보리라"(요 11:40)는 것입니다. 바울 사도는 고린도후서 5장 7절에서 "이는 우리가 믿음으로 행하고 보는 것으로 행하지 아니함이로라"라고 말합니다. 그리고 예수님은 "너희는 표적과 기사를 보지 못하면 도무지 믿지 아니하리라"(요 4:48)라고 지적하십니다.

그런데 한순간, 이 왕의 신하는 표적 신앙에서 말씀 신앙으로 신

앙의 차원을 달리하게 됩니다.

"예수께서 하신 말씀을 믿고 가더니"(요 4:50).

이제 그의 믿음의 근거는 기적이 아니라 말씀입니다. 바울 사도가 로마서 10장 17절에서 지적한 그 믿음의 자리로 나아온 것입니다.

"그러므로 믿음은 들음에서 나며 들음은 그리스도의 말씀으로 말미암았느니라."

마침내 왕의 신하가 집으로 가는 도중에, 집에서 자신을 마중 나온 종들이 전한 놀라운 소식은 무엇이었습니까? 예수님이 "네 아들이 살아 있다"(요 4:50)라고 선포하신 그 순간이 자신의 아들이 소생한 순간이었다는 사실입니다. 이 사건의 해피엔딩을 본문은 어떻게 증거합니까?

"그의 아버지가 예수께서 네 아들이 살아 있다 말씀하신 그때인 줄 알고 자기와 그 온 집안이 다 믿으니라"(요 5:53).

마침내 이 사건은 온 가족의 회심을 가져왔습니다. 교회 전승에 의하면, 누가복음 8장 3절의 '구사'가 바로 이 왕의 신하였고, '요안나'는 왕의 신하의 아내, 곧 다시 산 이 아들의 어머니였다고 증언되기도 합니다.

"헤롯의 청지기 구사의 아내 요안나와 수산나와 다른 여러 여자가 함께하여 자기들의 소유로 그들[예수의 제자들]을 섬기더라."

1800년대 말, 미국 뉴욕 지역에서 아내 레아(Rea)와 함께 주님께 헌신하며 청년 목회자로 사역한 윌리엄 쿠싱(William Cushing)이라는 사람이 있었습니다. 그의 나이 47세에 사랑하는 아내가 세상을 떠나자, 그는 깊은 슬픔에 사로잡혔습니다. 이 슬픔을 극복하지 못한 그는 목회를 중단했고, 건강마저 상실해 반신불수가 되었습니다. 그러던 어느 아침, 말씀을 펴고 묵상하다가 그는 이런 기도를 드렸습니다.

"주님, 제가 아직도 주님을 위해 할 일이 있을까요? 제가 아직도 이런 몸으로 주님을 따를 수 있을까요?"

그때 그의 마음속에 찬송시가 떠오르기 시작했습니다. 그리고 그때로부터 그는 무려 300곡 이상의 찬송시를 작사하는 새로운 사역을 시작하게 되었습니다. 〈예수께서 오실 때에〉(새찬송가 564장), 〈주 날개 밑 내가 편안히 쉬네〉(새찬송가 419장) 등의 찬송이 모두 그가 쓴 작품들입니다. 그러나 그가 남긴 가장 위대한 찬송시는 〈이 눈에 아무 증거 아니 뵈어도〉(새찬송가 545장)로, 이 찬송의 원문 제목은 〈Down in the Valley Where the Mists of Doubt Arise〉(의심의 안개가 일어나는 골짜기에서)입니다. 찬송시 원문을 직역하면 다음과 같습니다.

> 저 깊은 골짜기라도 내 구주와 함께 가리
>
> 폭풍우 내리치고 거센 물결 흘러도
>
> 나와 함께하시는 그 손잡고
>
> 나는 나는 두려워 않고 가리
>
> 주님만 함께하시면 위험은 날 놀라게 못하리
>
> 따르리 따르리 그 어디라도 나는 따르리라

그리고 우리말로 번역된 찬송 가사는 이와 같습니다.

(1절)

> 이 눈에 아무 증거 아니 뵈어도 믿음만을 가지고서 늘 걸으며
>
> 이 귀에 아무 소리 아니 들려도 하나님의 약속 위에 서리라

(후렴)

> 걸어가세 믿음 위에 서서 나가세 나가세 의심 버리고
>
> 걸어가세 믿음 위에 서서 눈과 귀에 아무 증거 없어도

우리를 둘러싼 역사의 현실이 어둡다 해도, 내일의 밝은 전망이 보이지 않아도 약속의 말씀을 붙잡으십시오. 그리고 믿음으로 그 길을 걸으십시오. 미니 루이스 하스킨스(Minnie Louise Haskins)는 이

런 시를 남겼습니다.

나는 시간의 문에 서 있는 남자에게 말했다. "미지의 길을 헤쳐 가도록 나에게 빛을 주십시오." 그러자 그는 내게 이렇게 말했다. "어둠 속으로 나아가시오. 그리고 당신의 손을 내밀어 하나님의 손을 잡으시오. 그것이 빛을 구하는 것보다 낫고, 아는 길을 가는 것보다 더 안전할 것이오."

약속의 말씀을 펴십시오. 말씀이 명하는 대로 전능자의 손을 잡으십시오. 그리고 일어나 믿음으로 걸어가십시오.

"그 후에 유대인의 명절이 되어 예수께서 예루살렘에 올라가시니라 예루살렘에 있는 양문 곁에 히브리말로 베데스다라 하는 못이 있는데 거기 행각 다섯이 있고 그 안에 많은 병자, 맹인, 다리 저는 사람, 혈기 마른 사람들이 누워 [물의 움직임을 기다리니 이는 천사가 가끔 못에 내려와 물을 움직이게 하는데 움직인 후에 먼저 들어가는 자는 어떤 병에 걸렸든지 낫게 됨이러라] 거기 서른여덟 해 된 병자가 있더라 예수께서 그 누운 것을 보시고 병이 벌써 오래된 줄 아시고 이르시되 네가 낫고자 하느냐 병자가 대답하되 주여 물이 움직일 때에 나를 못에 넣어 주는 사람이 없어 내가 가는 동안에 다른 사람이 먼저 내려가나이다 예수께서 이르시되 일어나 네 자리를 들고 걸어가라 하시니 그 사람이 곧 나아서 자리를 들고 걸어가니라 이날은 안식일이니"(요 5:1-9).

13

네가 낫고자
하느냐

예수님께 치유를 갈망한다면
우리에게 익숙한 해답부터 거부해야 한다

요한복음의 구조적 특성 중 하나는, '예수님의 신성을 증거하는 일곱 개의 표적'과 '예수님의 일곱 가지 자기 선언(I am)'으로 이루어진 복음서라는 사실입니다. 일곱 개의 표적 중 첫 번째는, 갈릴리 가나의 혼인 잔치에서 물을 포도주로 변화시키신 기적입니다. 이 표적은 예수님에게 질적 변화의 능력이 있으심을 보여 주었습니다. 두 번째 표적은, 이 역시 갈릴리 가나에서 왕의 신하가 예수님을 만나 가버나움에서 병들어 죽게 된 자기 아들을 살려 달라고 요청함으로 일어난 기적입니다. 예수님은 34킬로미터 떨어진 가버나움까지 내려갈 것을 거부하시고, 다만 말씀만으로 그 아들의 치유를 선언하십니다. 이 표적은 공간을 초월해서 기적을 행하시는 예수님의 신성을 보여 주었습니다.

본문은 세 번째 표적으로, 소위 38년 된 병자를 고치시는 기적입니다. 이 38년이라는 연수는 이스라엘 백성이 광야에서 방황하던 햇수로, 이스라엘 백성에게는 절망의 긴 시간을 대표합니다. 그러나 주님이 원하신다면 38년이라는 해묵은 절망도 고칠 수 있다는, 소위 시간을 초월해서 일하시는 그분의 신성을 보여 주고 있습니다.

그날 기적이 일어난 예루살렘 양문(구성 북동쪽) 곁 베데스다(히브리어, '자비의 집'[벧=집/헤세드=자비]) 연못 주변 행각에는 각종 병자들이 치유를 기다리며 모여 있었습니다. 본문 3절은 그 안에 많은 병자, 맹인, 다리 저는 사람, 혈기 마른 사람들이 누워 물의 움직임을 기다리고 있었다고 기록합니다. 이 연못은 일종의 간헐천(間歇泉)으로, 때때로 물이 솟아올라 수면이 움직이곤 했습니다. 유대인의 민간신앙에 의하면, 그 물을 동하게 하는 것은 천사이며, 물이 움직이는 순간 가장 먼저 물에 들어가는 사람은 치유를 받는다는 속설이 있었습니다. 그래서 많은 병자가 모여 그 순간을 기다리고 있었던 것입니다(본래 이 장소는 고대 그리스 시대의 치료의 신 아스클레피오스의 신전이 있었던 곳). 하지만 이 38년을 앓고 있었던 병자는 병이 위중했고 누구의 도움도 없었던 터라, 물에 가장 먼저 들어간다는 것은 불가능한 소망이었습니다. 그런데 그 때, 이 연못에 예수님이 등장하셨습니다.

"예수께서 그 누운 것을 보시고 병이 벌써 오래된 줄 아시고 이르시되 네가 낫고자 하느냐"(요 5:6).

그분은 모든 것을 보시는 분, 아시는 분, 곧 전지하고 전능한 분이셨습니다. 그런 그분이 "네가 낫고자 하느냐" 하고 물으셨습니다. 이 예수님의 질문이 이날 기적의 단초가 되었습니다. 그러나 38년 된 병자가 치유를 경험하기 위해서는 그에게 요구되는 반응이 있었습니다. 그가 절망의 자리에서 일어나기 위해 필요한 반응은 무엇이었을까요?

익숙한 절망을 거부하라

이날 예수님이 38년을 병으로 앓으면서 일어나지 못하고 누워 있는 이 병자에게 "네가 낫고자 하느냐"라고 물으시는 것을 우리가 곁에서 들었다면, 우리는 어떤 반응을 보였을까요?

"예수님, 그걸 질문이라고 하십니까? 저 사람에게 지금 낫는 것보다 더 절실한 필요가 무엇이란 말입니까?"

그러나 다르게 생각해 보면, 38년의 세월을 병치레하면서도 치유를 경험하지 못한 채 아주 누워 버린 지금 그리고 저 앞의 연못이 동하는 순간이 온다 해도 그를 연못에 먼저 들어가도록 도와줄 친구나 친척이 아무도 없어 보이는 이 상황에서, 이 사람은 어쩌면 나을 소망을 포기한 채 연못 주변에서 그저 시간이나 때우며 누워 있었을지도 모를 일입니다. 어쩌면 그에게 그곳은 질병을 치유 받을 희망의 자리가 아니라, 그냥 그렇게 절망을 확인하면서 생존을 이어 가는 체념의 자리였을지도 모릅니다. 그에게는 그 자리를 지나치는 구경꾼들이 던져 주는 동정의 눈빛과 몇 푼의 동전이 오히려 더 희망이었을지도 모릅니다.

제가 처음 미국에 갔을 때 받은 충격 중 하나는, 미국 같은 선진 사회에도 집 없이 떠도는 노숙자가 적지 않다는 사실이었습니다(일본도 마찬가지입니다). 그들은 일자리가 없어서 그렇게 사는 것이 아닙니다. 그들 중 일부는 매달 일정한 시간에 거리에 나가 건축 현장 등지에서 일을 합니다. 그런데 일정한 주급을 받으면서도 대부분 저금을 하지 않습니다. 물론 수익이 너무 적어 저금할 형편조차 안 되는 탓도 있지만, 몇 푼의 수익이 생기든 그들은 수익의 대부분을 한 주 내에 술과 도박, 마약으로 다 소비해 버린다고 합니다. 그리고 돈이 떨어지면 그제야 다시 노동하러 나오거나, 노숙인 센터로 돌아갑니다. 왜 그럴까요? 미래에 대한 기대가 없기 때문입니다. 내일이 없는 삶을 살아가기 때문입니다. 그들에게는 절망이 익숙한 삶의 스타일이기 때문입니다. 주변을 둘러보십시오. 내일이나 미래에 아무 희망을 갖지 못한 채 생존으로 연명하는 사람들이 있을 것입니다. 그런 이들에게 필요한 것은 직장이 아닙니다. 돈도 아닙니다. 지금의 절망의 자리를 거부하는 본질적 치유가 필요한 것입니다.

예수님은 물으십니다.

"네가 낫고자 하느냐?"

이제 그에게 정말로 필요한 것은, 더 이상은 지금처럼 살 수 없다는 의식, 곧 현상 유지를 거부하는 몸짓입니다. 진정한 치유의 시작, 그것은 익숙한 절망을 거부하는 선언입니다.

'나 정말 낫고 싶어요! 나 정말 구원받고 싶어요! 나 정말 변화되고 싶어요!'

이런 의식의 깨어남 말입니다. 이 순간이 바로 치유의 시작입니다.

익숙한 해답을 거부하라

익숙한 해답은 무엇을 의미합니까? 본문에서는 당시의 민간신앙으로 통하던 해법이었습니다.

> "이는 천사가 가끔 못에 내려와 물을 움직이게 하는데 움직인 후에 먼저 들어가는 자는 어떤 병에 걸렸든지 낫게 됨이러라"(요 5:4).

여기서 주목할 단어는 '먼저'입니다. '먼저' 들어가는 자, 곧 선착순입니다. 이것은 오늘도 통하는 세속적 해법이 아닙니까? 1등하는 자가 대우받고, 좋은 자리 차지하고, 그래서 오늘도 사람들은 이 1등하는 '못에 먼저 들어가는 자'가 되려고 권력도 사용하고, 빽도 사용하고, 연줄도 사용하고, 인맥도 사용하는 것이 아닙니까?

38년 된 병자가 예수님을 만났을 때, 그가 걸었던 희망은 무엇이었습니까? "네가 낫고자 하느냐"라는 물음에 이 병자는 어떤 대답을 합니까?

"병자가 대답하되 주여 물이 움직일 때에 나를 못에 넣어 주는 사람
이 없어 내가 가는 동안에 다른 사람이 먼저 내려가나이다"(요 5:7).

물론 그의 대답은 절망적 반응이었습니다. 그러나 만일 그가 원
하는 방법으로 고침을 받을 수 있다면, 그것은 세속적 해법입니다.
그가 고침 받지 못하는 원인으로 지적한 것 역시 '다른 사람들이 먼
저 그 못으로 내려간다는 것'이었습니다. 그렇다면 바로 이 순간 등
장하신 예수님에게 그가 부탁할 수 있는 도움은 무엇이겠습니까?
옆에 계시다가 저 연못의 물이 움직일 때 자신을 제일 먼저 저 못에
들어가도록 도와 달라는 도움이 아니겠습니까? 그것이 그가 제일
익숙하게 기대하고 있었던 해법이 아닙니까? 다른 사람들을 제치
고 내가 먼저 저 못에 들어가 치료도 받고, 건강도 회복하고, 특혜
도 누리고, 출세도 하고…. 이것이 우리가 교회에 나와 소위 믿음
의 삶을 살면서도 여전히 기대하고 있는 세속적 해답이 아닙니까?
그러나 결론부터 말하자면, 예수님은 이런 식의 세속적 해법에
는 관심조차 없으셨다는 것입니다. 오히려 우리가 생각하는 우리
의 해법이 포기되는 순간 그분만의 해법, 그분만의 치유, 그분만의
구원이 시작되었다는 사실입니다. 로마서 12장 2절에서 바울 사도
는 이렇게 권면합니다.

"너희는 이 세대를 본받지 말고 오직 마음을 새롭게 함으로 변화를 받아."

그렇습니다. 우리가 정말 예수님을 통한 치유를 갈망한다면, 우리는 우리에게 익숙한 해답부터 거부할 수 있어야 합니다. 먼저 성공의 못에 들어가고자 새치기하는 습관, 인맥과 권력을 동원해서 다른 사람들을 제치고 첫 자리에 들어서려는 습관, 돈으로 반칙하고 성공을 사려는 습관 등, 이 모든 익숙한 해법을 포기할 때 비로소 우리는 새로운 사회의 출현을 기대할 수 있을 것입니다. 지금 우리 민족이 경험하는 역사적 진통은 바로 이런 세속적 해답을 포기하는 훈련을 위한 학습일 수 있어야 합니다.

오직 예수를 바라보라

그렇다면 예수님의 기적의 치유는 어떻게 시작되었습니까? 우선, 예수님은 당신 앞에 있던 이 기적의 연못에는 관심이 전혀 없으셨습니다. 그 연못에는 눈길 한번 주지 않으셨습니다. 다만 그분은 이 병자만을 주목하며 말씀하십니다.

"예수께서 이르시되 일어나 네 자리를 들고 걸어가라"(요 5:8).

예수님은 말씀만 하셨습니다. 그런데 그 말씀이 그 병자를 치유한 것입니다. 연못의 물이 아닌, 주님의 말씀이 해답이었습니다. 이제 이 땅에 살고 있는 그리스도인만이라도 이렇게 고백할 수 있어야겠습니다. 줄 잘 서는 것, 권력에 기대는 것, 돈으로 성공을 사려는 것과 같은 행위들은 더 이상 희망이 아니라고, 오직 주님의 살아 있는 말씀만이 희망이고 해답이라고, 진실로 "사람이 떡으로만 살 것이 아니요 하나님의 입으로부터 나오는 모든 말씀으로 살 것"(마 4:4)이라고 말입니다.

38년 된 병자는 더 이상 '나는 일어설 수 없는 사람'이라고, '나는 일어날 기력이 없다'고, '나를 도울 사람들이 없다'고 변명하지 않습니다. 그는 주님의 말씀을 듣는 순간 어떤 힘, 어떤 생명, 어떤 임재를 느꼈을 것입니다. 그리고 그는 그분의 말씀을 믿음으로 받아들이고 있었습니다.

"그 사람이 곧 나아서 자리를 들고 걸어가니라"(요 5:9).

그분은 후일 나사로의 무덤 앞에서 당신이 누구인지를 밝히십니다.

"나는 부활이요 생명이니 나를 믿는 자는 죽어도 살겠고 무릇 살아서 나를 믿는 자는 영원히 죽지 아니하리니 이것을 네가 믿느냐"(요 11:25-26).

해답은 부활이요, 생명인 주님이십니다. 당신은 이것을 참으로 믿고 있습니까? 물론 주님이 해답이지만, 그래도 권력은 있어야 한다고, 돈은 있어야 한다고, 인맥은 있어야 한다고 말하고 있지는 않습니까?

주님이 이 38년 된 병자를 고치시며 내건 조건은 아무것도 없었습니다. 헌금을 요구하지도, 당신에 대한 인간적 충성을 요구하지도 않으셨습니다. 딱 하나 요구하신 것이 있다면, '다시는 죄를 짓지 말라'는 것이었습니다.

> "그 후에 예수께서 성전에서 그 사람을 만나 이르시되 보라 네가 나았으니 더 심한 것이 생기지 않게 다시는 죄를 범하지 말라"(요 5:14).

그 후 고침 받은 그의 삶의 변화는 무엇이었습니까? "자기를 고친 이는 예수라"(요 5:15) 하고 증거하기 시작한 것입니다.

지금으로부터 500여 년 전, 가톨릭이 거대한 종교 제국을 이루어 그 제국을 향한 정치적 충성과 면죄부를 사는 헌금만이 천국으로 가는 길이라고 가르치고 있을 때, 젊은 루터와 칼빈(John Calvin) 그리고 개혁자들이 성경을 읽다가 외친 절규가 무엇입니까? 종교개혁의 5대 외침(five solas)인 '오직 성경!'(Sola Scriptura), '오직 그리스도!'(Solus Christus), '오직 은혜!'(Sola Gratia), '오직 믿음!'(Sola Fide) 그리고 '오직 하나님께 영광!'(Soli Deo Gloria)이었습니다. 오늘 우리는 '그 지점으로 다시 돌아갈 수 있는가?'라는 중대한 물음 앞에 서 있습니다. 돌아간다면 한국 교회는 새로운 희망을 찾을 수 있습니다. 그러나 그럴 수 없다면, 우리는 다시 베데스다 자비의 못 행각에서 병든 모습으로 물의 움직임만을 기다리는 방황을 계속할 것입니다. 우리의 선택은 무엇이 되어야 할까요? 주님은 오늘도 묻고 계십니다.

"네가 낫고자 하느냐?"

"너의 교회가 낫고자 하느냐?"

"너의 조국이 낫고자 하느냐?"

모든 인생의 질문에 대한 해답은
부활이요, 생명인 주님이십니다.
오직 믿음으로
인생의 질문에 답하십시오.

"그러므로 예수께서 그들에게 이르시되 내가 진실로 진실로 너희에게 이르노니 아들이 아버지께서 하시는 일을 보지 않고는 아무것도 스스로 할 수 없나니 아버지께서 행하시는 그것을 아들도 그와 같이 행하느니라 아버지께서 아들을 사랑하사 자기가 행하시는 것을 다 아들에게 보이시고 또 그보다 더 큰일을 보이사 너희로 놀랍게 여기게 하시리라 아버지께서 죽은 자들을 일으켜 살리심같이 아들도 자기가 원하는 자들을 살리느니라 아버지께서 아무도 심판하지 아니하시고 심판을 다 아들에게 맡기셨으니 이는 모든 사람으로 아버지를 공경하는 것같이 아들을 공경하게 하려 하심이라 아들을 공경하지 아니하는 자는 그를 보내신 아버지도 공경하지 아니하느니라 내가 진실로 진실로 너희에게 이르노니 내 말을 듣고 또 나 보내신 이를 믿는 자는 영생을 얻었고 심판에 이르지 아니하나니 사망에서 생명으로 옮겼느니라 진실로 진실로 너희에게 이르노니 죽은 자들이 하나님의 아들의 음성을 들을 때가 오나니 곧 이때라 듣는 자는 살아나리라"(요 5:19-25).

14

아들의 권세

하나님의 아들에게 주어진 세 가지 권세는
사역의 권세, 생명의 권세 그리고 심판의 권세다

세기의 명화 〈벤허〉(Ben-Hur)의 주인공인 벤허는 본래 유대 왕가의 후손, 예루살렘 귀족의 아들이었으나, 로마인들에 의해 갤리선 노예의 운명으로 전락해 전투함정의 밑바닥에서 노를 젓는 신세로 추락합니다. 그러나 그가 탄 배가 해적선의 공격을 받아 파선되었을 때, 전투선의 사령관 퀸투스 아리우스의 목숨을 구하며 공을 세우자, 로마의 사령관 아리우스는 벤허를 자신의 아들로 입양하고 자유인이 되게 합니다. 나아가 자신의 재산을 합법적으로 상속할 수 있는 자격을 누리게 합니다. 운명의 극적인 전환과 회복이 일어난 것입니다. 왕족의 아들에서 노예의 신분으로 전락했다가, 다시 귀족의 아들이 된 것입니다.

그런데 우리에게도 비슷한 사건이 일어난 것을 알고 있습니까? 우리는 본래 하나님의 형상을 따라 지음 받은 하나님의 자녀였으나, 우리가 범죄함으로 타락해서 사탄의 지배를 받고 사탄의 종노릇하는 죄의 노예가 되었습니다. 그런데 어느 날, 우리가 인생의 길에서 예수님을 만나 그분을 구주와 주님으로 믿고 영접하는 순간, 어떤 일이 일어났습니까? 다시 하나님의 자녀 된 권세를 회복하게 되었습니다. 벤허의 운명과 비슷하지 않습니까?

교회에서 초신자에게 암송하도록 권하는 대표적인 성경 말씀 중 하나가 요한복음 1장 12절입니다.

"영접하는 자 곧 그 이름을 믿는 자들에게는 하나님의 자녀가 되는 권세를 주셨으니."

여기 사용된 '권세'는 헬라어 원문에서 '엑수시아'(eksousia)라는 단어로, 영어로는 'authority'(합법적 권리, 권한) 혹은 'power'(능력)로 번역됩니다. 아마도 두 가지 의미가 모두 함축된 것으로, 하나님의 자녀로서 누리는 법적인 권리와 함께 자녀로서 행사할 수 있는 능력을 모두 내포한 단어입니다.

"또 인자 됨으로 말미암아 심판하는 권한을 주셨느니라"(요 5:27).

같은 단어 '엑수시아'가 '권한'으로 번역되었습니다. 그렇다면 우리가 진실로 하나님의 자녀가 되고, 예수님의 제자가 되어 이 땅에서 살아가게 되었다면, 우리가 누릴 수 있는 권세는 무엇일까요? 본래 이 권세는 하나님 아버지께서 아들이신 예수님께 주신 것이지만, 우리도 예수 믿고 하나님의 자녀가 됨으로써 그 권세를 함께 누리게 된 것이라 할 수 있습니다.

본문은 하나님의 아들에게 주어진 세 가지 권세를 증언합니다. 이 세 가지 권세는 무엇일까요?

사역의 권세

첫 번째는, 사역의 권세입니다.

> "그러므로 예수께서 그들에게 이르시되 내가 진실로 진실로 너희에게 이르노니 아들이 아버지께서 하시는 일을 보지 않고는 아무것도 스스로 할 수 없나니 아버지께서 행하시는 그것을 아들도 그와 같이 행하느니라"(요 5:19).

쉽게 말하면, 아버지의 일을 아들이 행하신다는 것입니다. 아들 예수님이 이 땅에 오신 이유는, 아버지의 일을 행하기 위해서입니다. 20절은 한 걸음 더 나아가, 아버지께서 그렇게 하시는 이유가 아들을 사랑하시기 때문이라고 말씀합니다. 그리고 결과적으로,

그 일을 행하심으로 그분을 따르는 자들에게 놀라움이 되게 하사 아들을 높이기 위해서라고 말씀합니다. 유진 피터슨은 《메시지》에서 20절을 이렇게 번역합니다.

"아버지께서 하시는 일을 아들도 한다. 아버지는 아들을 사랑하셔서, 자신이 하는 모든 일에 아들도 참여하게 하신다."

한마디로, 아버지께서 행하시는 동일한 사역의 권세를 아들에게 위임하셨다는 것입니다. 그런데 우리가 아들 예수님을 따르는 순간, 우리도 이 아들이 하시는 사역의 권세를 위임받게 됩니다. 마태복음 마지막 부분에서의 지상 명령을 떠올려 보십시오.

"예수께서 나아와 말씀하여 이르시되 하늘과 땅의 모든 권세를 내게 주셨으니 그러므로 너희는 가서 모든 민족을 제자로 삼아 아버지와 아들과 성령의 이름으로 세례[침례]를 베풀고"(마 28:18-19).

복음을 전해서 사람들로 그리스도의 제자가 되게 하는 일, 이 위대한 사역, 천사도 흠모하는 이 일을 우리에게 위임해 주셨다는 것입니다. 문제는, 그 일을 우리가 하고 있느냐는 것입니다.

이미 요한복음 4장에서 살펴보았듯이, 예수님은 사마리아 땅 수가성 우물가에서 만난 한 여인에게 당신이 그리스도임을 보이시고, 그녀를 믿게 한 후에 이렇게 말씀하십니다.

"예수께서 이르시되 나의 양식은 나를 보내신 이의 뜻을 행하며 그의 일을 온전히 이루는 이것이니라"(요 4:34).

요한복음 9장에서는 맹인(시각장애인) 한 사람을 주목하고 치유하기에 앞서 무엇이라고 선포하십니까?

"때가 아직 낮이매 나를 보내신 이의 일을 우리가 하여야 하리라 밤이 오리니 그때는 아무도 일할 수 없느니라"(요 9:4).

물론 아버지 하나님의 사역은 전도에 국한되지 않습니다. 아버지 하나님의 영광을 나타내는 모든 일이 아들의 사역이었습니다. 그렇다면 우리의 인생을 걸고 하나님의 영광을 나타내는 모든 일에 올인하는 것, 그것이 우리의 인생이고 사역입니다. 그리고 우리가 이 일에 쓰임 받고 자신을 드리도록, 그렇게 할 수 있는 권세를 주셨다는 것입니다. 할 수 있느냐, 없느냐를 고민하지 마십시오. 믿고 행하면 됩니다. 예수님이 열두 제자를 부르실 때의 약속을 기억하십시오. 이 약속은 우리에게도 유효합니다.

"예수께서 그의 열두 제자를 부르사 더러운 귀신을 쫓아내며 모든 병과 모든 약한 것을 고치는 권능을 주시니라"(마 10:1).

생명의 권세

본문에서 아들 예수님에게 아버지 하나님이 위임하신 두 번째 권세
는, 생명의 권세임을 증언합니다. 예컨대, 죽은 자를 살리는 권세를
생각해 보십시오. 하나님만이 하실 수 있는 일입니다. 그런데 그 권
세를 아들에게도 주셨다는 것입니다. 그래서 아들도 살리는 일, 생
명을 부여하는 일을 하십니다.

> "아버지께서 죽은 자들을 일으켜 살리심같이 아들도 자기가 원하
> 는 자들을 살리느니라"(요 5:21).

그런데 본문은 이 일이 마지막 부활 때에만 일어나는 일이 아님
을 말씀합니다. 물론 부활의 그날, 가장 장엄한 생명의 역사를 보게
될 것입니다. 그러나 이 생명의 역사는 오늘 우리가 복음을 전할 때
마다 일어나고 있는 일임을 기억하라는 것입니다.

> "내가 진실로 진실로 너희에게 이르노니 내 말을 듣고 또 나 보내
> 신 이를 믿는 자는 영생을 얻었고 심판에 이르지 아니하나니 사망
> 에서 생명으로 옮겼느니라"(요 5:24).

그렇습니다. 한 사람이 주님의 말씀을 듣고 믿는 순간, 그는 영생
을 얻어 사망에서 생명으로 옮기는 것입니다. 전도는 다른 측면에

서 보면 생명을 살리는 역사입니다. 우리가 전도의 특권을 행사한다는 것은, 생명 살림의 권세를 행사하는 일입니다.

사도 요한은 전도의 사역을 부활의 사역과 동일선상에서 논의하고 있습니다. 전도는 생명을 부활시키는 일이라는 것입니다. 죽었던 한 사람이 실제로 부활하는 것을 본다면 얼마나 감동적이고 감격스러울까요? 예수님은 그 부활의 감동을 믿게 하고자 당신의 친구였던 나사로를 살리십니다. 말씀으로 살리십니다.

"나사로야 나오라"(요 11:43).

그런데 지금 여기에서도, 동일한 말씀이 선포될 때 죽었던 영혼들이 영적으로 다시 살아난다는 것입니다.

"진실로 진실로 너희에게 이르노니 죽은 자들이 하나님의 아들의 음성을 들을 때가 오나니 곧 이때라 듣는 자는 살아나리라"(요 5:25).

역사의 종말에 죽은 자들이 예수의 음성을 듣고 살아날 것처럼, 지금 이때에도 주의 음성인 말씀을 듣는 자들은 살아나리라는 것입니다. 여기서 강조된 중요한 단어는 '이때'입니다. '뉜 에스틴'(nun estin, now is), 곧 지금, 이때 그 생명의 역사가 일어나고 있다는 것입니다. 우리가 주의 말씀을 선물로 받아 전할 수 있다는 것은, 곧 이 생명의 권세를 우리도 부여받았다는 것을 의미합니다.

심판의 권세

아들 예수님에게 아버지 하나님으로부터 주어진 또 하나의 권세는,
심판의 권세입니다.

> "아버지께서 아무도 심판하지 아니하시고 심판을 다 아들에게 맡
> 기셨으니"(요 5:22).

이 말씀은 이어지는 27절에서 다시 확인되고 있습니다.

> "또 인자 됨으로 말미암아 심판하는 권한을 주셨느니라"(요 5:27).

22절의 말씀은 성부 하나님께서 심판하지 않으신다는 뜻이 아닙
니다. 하나님이 아들 예수님을 통해서 심판하신다는 것입니다. 구
원의 주이신 예수님은 궁극적으로 또한 심판의 주가 되신다는 것
입니다. 그리고 그 심판의 결과가 29절에 잘 표현되어 있습니다.

> "선한 일을 행한 자는 생명의 부활로, 악한 일을 행한 자는 심판
> 의 부활로 나오리라."

심판의 결과로 이 땅에서 선과 악이 명확히 구별되고, 선인과 악
인이 분별될 것이라는 말씀입니다. 지금 우리가 살고 있는 시대를

가리켜 포스트모던 시대라고 합니다. 이 포스트모던 시대의 현저한 특성은 선과 악의 구별이 없다는 것입니다. 그러나 아들 하나님의 심판을 통해 우리는 선과 악의 명확한 구별을 보게 될 것입니다.

그런데 그것이 오늘을 사는 예수의 제자들에게는 어떤 연관이 있을까요? 마태복음 19장 28절의 약속을 기억하십시오.

"예수께서 이르시되 내가 진실로 너희에게 이르노니 세상이 새롭게 되어 인자가 자기 영광의 보좌에 앉을 때에 나를 따르는 너희도 열두 보좌에 앉아 이스라엘 열두 지파를 심판하리라."

이 말씀은 우리도 예수님과 함께 심판의 권세를 받았다는 것입니다. 물론 이 약속은 후일에 종말론적으로 실현되어, 예수님이 다시 오실 때 우리에게 이루어질 것입니다. 그러나 우리가 어느 날 예수님과 함께 심판자가 될 사람들이라면, 우리는 오늘을 어떻게 살아가야 마땅할까요? 본문 24절의 말씀처럼, 우리가 예수를 믿는 순간 이미 심판은 지나갔습니다("심판에 이르지 아니하나니"). 이제부터 우리는 어느 날 간신히 심판을 면할 자로 살아가는 것이 아니라, 세상의 선과 악을 분별하면서 당당히 세상을 변화시키는 자로 살아가야 한다는 말입니다. 이것이 바로 우리가 심판의 권세를 받은 자라는 말의 의미입니다.

로마서 12장 2절의 권면은 우리가 이 심판의 권세를 받았기에 실천 가능한 말씀입니다.

“너희는 이 세대를 본받지 말고 오직 마음을 새롭게 함으로 변화를 받아 하나님의 선하시고 기뻐하시고 온전하신 뜻이 무엇인지 분별하도록 하라.”

최근 우리 주변에서 벌어지고 있는 수많은 비극은, 생각 없이 사회의 통념을 따라 행해진 평범한 악의 결과라 할 수 있습니다. 학교 폭력에 시달리는 친구들을 보면서 못 본 척하는 우리, 세금 포탈 같은 불법을 쉽게 용납하는 우리, 공공의 선보다 자신의 이익을 위해 쉽게 부정과 탈법을 자행하는 우리가 이제 깨어나야 합니다. 우리 모두를 불편하게 하는 부정과 불의에 ‘아니오’를 선언하고, 사회적 공의와 이웃의 선을 위한 자기희생에 ‘네’라고 결단할 때, 그때 우리는 장차 심판받을 자가 아니라, 그리스도와 함께 이 어두운 세상을 심판하는 권세를 받은 자임을 증명하게 될 것입니다.

우리의 인생을 걸고

하나님의 영광을 나타내는 모든 일에 올인하는 것,

그것이 우리의 인생이고 사역입니다.

"예수께서 눈을 들어 큰 무리가 자기에게로 오는 것을 보시고 빌립에게 이르시되 우리가 어디서 떡을 사서 이 사람들을 먹이겠느냐 하시니 이렇게 말씀하심은 친히 어떻게 하실지를 아시고 빌립을 시험하고자 하심이라 빌립이 대답하되 각 사람으로 조금씩 받게 할지라도 이백 데나리온의 떡이 부족하리이다 제자 중 하나 곧 시몬 베드로의 형제 안드레가 예수께 여짜오되 여기 한 아이가 있어 보리떡 다섯 개와 물고기 두 마리를 가지고 있나이다 그러나 그것이 이 많은 사람에게 얼마나 되겠사옵나이까 예수께서 이르시되 이 사람들로 앉게 하라 하시니 그곳에 잔디가 많은지라 사람들이 앉으니 수가 오천 명쯤 되더라 예수께서 떡을 가져 축사하신 후에 앉아 있는 자들에게 나눠 주시고 물고기도 그렇게 그들의 원대로 주시니라 그들이 배부른 후에 예수께서 제자들에게 이르시되 남은 조각을 거두고 버리는 것이 없게 하라 하시므로 이에 거두니 보리떡 다섯 개로 먹고 남은 조각이 열두 바구니에 찼더라"(요 6:5-13).

15

세 가지 유형의 봉사자

하나님은 큰 사람이 아닌
단순한 헌신자를 통해 일하신다

성경의 하나님은 기적의 하나님이십니다. 그러나 기적은 흔하지 않은 사건이기에 말 그대로 기적이라고 부릅니다. 날마다 일어나는 일상의 사건을 우리는 기적이라고 부르지 않습니다. 그럼에도 불구하고 기적은 분명히 존재합니다. 그리고 기적은 언제나 새로운 역사의 전기가 됩니다. 이런 기적의 현장에서 하나님은 기적을 이루는 도구로 사람들을 사용하십니다. 성경의 하나님은 홀로 기적을 행할 수 있는 전능자이시지만, 홀로 행하기보다 사람을 당신의 일꾼으로 불러 동역자로 사용하십니다. 그래서 바울 사도는 이렇게 말합니다.

"우리는 하나님의 동역자들이요 너희는 하나님의 밭이요 하나님의 집이니라"(고전 3:9).

우리가 한 세상을 살면서 하나님의 동역자가 되어 그분의 기적의 도구로 쓰임 받는다는 것은 얼마나 위대한 특권입니까?

기독교 유머 중에 이런 내용이 있습니다. 예수님이 유대인이었던 확실한 몇 가지 증거가 있는데, 첫째, 아버지의 직업인 목수직을 물려받으신 것, 둘째, 30세까지 집에 머물러 계셨던 것 그리고 셋째, 되도록 모든 일을 돈을 안 쓰는 방향으로 처리하신 것(예컨대, 포도주를 사지 않고 물을 포도주로 변화시키신 것, 그리고 그분을 따르는 많은 배고픈 무리에게 점심 도시락을 제공하지 않고 오병이어의 기적을 행하신 것)이라는 내용입니다.

성경의 기적 중 우리에게 가장 친숙한 것이 있다면, 아마도 오병이어의 기적일 것입니다. 사복음서의 기자인 마태, 마가, 누가, 요한 모두 이 사건을 기록하고 있다는 것도 이 기적의 중요성을 말해 주는 표징이라고 할 만합니다. 이것은 분명 예수님의 신성을 증명하는 기적적 사건입니다. 그러나 우리가 이 기적을 연구하며 자주 간과하는 사실이 있다면, 예수님은 여전히 사람들을 사용해서 기적을 행하고 계시다는 사실입니다. 우리는 이 오병이어 기적의 현장에 있었던 예수님의 제자들을 세 가지 유형으로 분류해서 교훈을 받을 수 있습니다. 그들은 오늘날 교회의 사역 마당에서 목격되는 세 가지 유형의 봉사자들이라고 할 수 있습니다. 세 가지 유형의 봉사자, 이들은 누구일까요?

계산적 회의자

첫 번째 유형은, '계산적 회의자'입니다. 이 유형에 해당하는 대표적인 제자가 본문에 등장하는 빌립입니다. 빌립을 향한 예수님의 질문을 보십시오.

> "예수께서 눈을 들어 큰 무리가 자기에게로 오는 것을 보시고 빌립에게 이르시되 우리가 어디서 떡을 사서 이 사람들을 먹이겠느냐 하시니"(요 6:5).

이때 빌립의 대답은 무엇입니까?

> "빌립이 대답하되 각 사람으로 조금씩 받게 할지라도 이백 데나리온의 떡이 부족하리이다"(요 6:7).

대체로 성경학자들은 오병이어의 기적의 현장에 모인 사람들이 적어도 1만 명은 넘었을 것이라고 생각합니다. 본문 10절은 5천 명쯤이라고 기록하지만, 그것은 여자와 아이들을 제외한 숫자였기 때문입니다(마 14:21 참조). 빌립은 무리를 한눈에 살펴본 후, 그들에게 이 지역·서민들의 양식인 보리떡을 조금씩만 먹이더라도 최소 200데나리온(한 데나리온은 하루의 품삯, 그러므로 200데나리온은 적어도 한 사람의 6개월 치 월급에 해당하는 금액)이 필요할 것이라고 계산했습니

다. 그의 계산은 정확했습니다. 그는 합리적이고 냉철하며 계산적
인 사람이었습니다. 그러나 그는 정확하게 계산하고, 해결책은 없
다고 회의적인 결론을 내렸습니다. 지금 그런 필요를 채우는 것은
불가능하다고 본 것입니다. 그는 계산적 회의론자였습니다. 그래
서 결국 이 기적의 마당에서 쓰임 받지 못하는 사람이 되고 말았
습니다.

그는 자신의 계산에 하나님 혹은 예수님을 더하지 않았습니다.
인간적인 계산으로는 불가능하지만, 하나님 혹은 예수님이 개입하
고 도와주신다면 어떤 일이 일어날 것인가를 계산하지 못한 것입니
다. 그리고 사실 이 상황에서 예수님이 빌립에게 던지신 질문은 그
의 믿음을 시험하기 위한 것이었음을 그는 인지하지 못했습니다.

> "이렇게 말씀하심은 친히 어떻게 하실지를 아시고 빌립을 시험하
> 고자 하심이라"(요 6:6).

여기서 우리가 주목해야 할 말씀은 '친히 어떻게 하실지를 아시
고'입니다. 이 불가능한 상황에서도 어떻게 하실지를 아시는 분이
계십니다. 그분이 바로 하나님의 아들로서 사람의 아들이 되어 이
땅에 오신 예수님이십니다. 그리고 그분은 신성을 지니셨습니다.
그러나 그 예수님에 대한 믿음이 없었던 빌립은 결국 기적의 도구
로 쓰임 받는 영광의 기회를 상실하고 말았습니다. 당신은 어떻습
니까? 합리적이고 정확한 계산적 이성을 지니고 있지만, 믿음의 결

여로 쓰임 받지 못하는 봉사자는 아닙니까?

소극적 참여자

두 번째 유형은 '소극적 참여자'로, 이 유형에 해당하는 봉사자는 안 드레라는 이름의 제자입니다. 본문 8-9절에 묘사된 이 제자의 반응 을 보십시오.

> "제자 중 하나 곧 시몬 베드로의 형제 안드레가 예수께 여짜오되 여기 한 아이가 있어 보리떡 다섯 개와 물고기 두 마리를 가지고 있나이다 그러나 그것이 이 많은 사람에게 얼마나 되겠사옵나이 까"(요 6:8-9).

그는 지금 제자들이 직면한 상황, 곧 이 많은 무리의 양식을 예 수님과 제자들이 공급하는 것이 불가능하다고 단정하지 않았습니 다. 그리고 가만히 주저앉아서 의심에 찬 머리만 굴리고 있지 않았 습니다. 빌립처럼 말입니다. 그는 자신들이 지닌 문제에 대한 해결 의 실마리가 될 그 무엇이라도 찾고자 군중 사이를 다니며 살펴보 았습니다. 그러던 중, 한 아이가 보리떡 다섯 개와 물고기 두 마리 를 가지고 있는 것을 발견한 것입니다. 물론 그것으로 이 많은 무 리를 먹이는 것은 어림도 없다는 사실을 그도 잘 알고 있었습니다.

그래서 "그것이 이 많은 사람에게 얼마나 되겠사옵나이까"라고 반문한 것입니다. 하지만 적어도 안드레는 문제 해결의 단초가 될 만한 무언가를 발견하고 제시함으로, 이 기적의 사역에 소극적 참여자는 될 수 있었습니다.

안드레는 큰일에 대한 야망을 품어 보지는 못했지만, 언제나 자기가 할 수 있는 작은 일이라도 하고자 했던 사람이었습니다. 우리는 모두 초대 교회의 큰 기둥, 초대 교회의 기초를 놓은 예수님의 으뜸가는 제자로 사도 베드로를 기억합니다. 그러나 그 베드로를 예수님 앞으로 인도한 사람이 바로 안드레였습니다. 우리는 모두 베드로는 될 수 없겠지만, 안드레는 될 수 있습니다. 사람들은 끊임없이 큰일, 큰 사람을 말하지만, 하나님 나라는 수많은 작은 일을 성실하게 감당해 온 작은 사람들에 의해 이루어진 역사라 해도 과언이 아닙니다. 주님은 "착하고 충성된 종아 네가 적은 일에 충성하였으매"(마 25:21)라고 말씀할 제자들을 오늘도 찾고 계십니다. 오병이어의 도시락을 발견해 주님께 보고한 안드레, 형제 시몬 베드로를 주님께로 인도했던 안드레와 같은 사람이 필요한 것입니다.

"작은 차이가 큰 차이를 만든다"(The little difference makes a big difference)라는 말이 있습니다. 안드레가 오병이어를 지닌 아이를 발견한 것은 작은 일에 불과합니다. 하지만 결과적으로 그 발견이 그날 그 들판에 있었던 수많은 배고픈 무리의 문제를 해결할 단초가 되지 않았습니까? 그러나 그가 좀 더 긍정적이고 능동적이었다면, 그래서 아이를 설득해 자신이 친히 그 도시락을 주님께로 가져

올 수 있었다면, 어쩌면 그가 그날 기적의 직접적인 도구가 될 수도 있었을 것입니다. 그는 그냥 "이 도시락이 있기는 하지만, 이것으로 무엇을 할 수 있겠습니까?"라고 말한 다음 바로 구경꾼의 자리로 되돌아간 것으로 보입니다. 이것이 그를 소극적 참여자가 되게 한 것입니다.

당신은 어떤 봉사자입니까? 소극적 참여자입니까, 능동적 참여자입니까? 이제 마지막 세 번째 유형의 봉사자를 생각해 봅시다.

단순한 헌신자

세 번째 유형은 '단순한 헌신자'이며, 이 유형을 대표하는 사람은 바로 이 오병이어 도시락의 주인인 어린아이입니다. 본문 9절에서 안드레는 "여기 한 아이가 있어 보리떡 다섯 개와 물고기 두 마리를 가지고 있나이다"라고 말합니다. 그리고 주님은 "그것을 내게 가져오라"(마 14:18)라고 말씀하십니다. 그런데 사복음서 어디에도 이 아이가 자신의 것을 주님께 드림에 있어 주저한 흔적이 없습니다. 이 아이는 기쁨으로 자신의 도시락을 드렸던 것입니다.

저는 이 아이를 단순한 헌신자로 부르고 싶습니다. 저는 아이들의 가장 큰 장점이 이런 단순성이 아닌가 생각합니다. 우리는 어른이 되어 가는 과정에서 이익과 손해를 계산하며, 점차 이런 단순성을 상실하게 됩니다. 그래서 예수님도 "너희가 돌이켜 어린아이들

과 같이 되지 아니하면 결단코 천국에 들어가지 못하리라"(마 18:3)
라고 말씀하신 것입니다. 리처드 포스터(Richard Foster)는 단순성을
이렇게 정의합니다.

> 단순성이란 의존의 자세로 돌아가는 것이다. 어린아이처럼 신
> 뢰의 영으로 살아가는 것이다. 우리가 가진 모든 것은 선물로
> 받은 것이다.

선물로 받은 줄 알기에 다시 기쁘게 선물로 드릴 수 있는 것, 이
것이 바로 단순성의 본질입니다.

하나님 나라의 역사는, 바로 이런 단순한 헌신자들을 하나님이
사용해서 이루어 오신 역사라고 할 수 있습니다. 1793년, 인도 선
교사로 떠나면서 현대 선교의 문을 연 윌리엄 캐리(William Carey)를
보십시오. 구두 수선공이었던 그는 성경을 읽던 중 "와서 우리를
도우라"(행 16:9) 하는 마게도냐인의 부름이 바로 자신을 향한 하나
님의 부르심임을 깨닫고 기도를 시작합니다.

"어디로 가야 하느냐고⋯. 내가 가야 할 나의 마게도냐는 어디
냐고⋯."

그러던 중, 그는 《쿡 선장의 항해》(삼성당 역간)를 읽으며 그곳이
인도임을 깨닫습니다. 당시 아무도 세계 선교의 눈을 뜨지 못한 상
황에서, 주변 모두의 반대에도 불구하고 하나님의 명령에 순종해
야 한다는 단순한 마음으로 그는 인도로 나아간 것입니다.

보스턴의 구두 가게에서 일하던 무디(Dwight Lyman Moody)라는 청년은 주일학교 교사였던 에드워드 킴볼(Edward Kimball)의 전도를 받고 구원의 확신을 갖게 됩니다. 그날 그에게는 태양도 새로운 태양이었고, 새들의 소리도 그의 거듭남을 축하하는 찬양으로 들려왔다고 합니다. 얼마 되지 않아 시카고에서 잡화점을 운영하게 된 그는 자신에게 복음을 전해 주었던 주일학교 선생 킴볼을 잊지 못했고, 자신도 복음의 빚을 갚아야 한다고 생각하게 되었습니다. 그래서 그는 주일학교 교사로 자원해 열여섯 명의 아이들을 그리스도의 군사로 훈련했습니다. 그는 시간이 주어지는 대로 거리로 나가 그들과 함께 거리의 아이들에게 복음을 전하기 시작했습니다. 그리고 주일학교는 삽시간에 천 명 이상의 아이들로 채워지게 되었습니다. 그는 신학교를 다니지도, 목사 안수를 받지도 않았지만, 당시 세계에서 가장 많은 사람에게 복음을 전하는 전도자가 되었습니다. 교육도 제대로 받지 못한 사람이 어떻게 쓰임 받을 수 있었는가라는 질문에 대해 그는 이렇게 대답합니다.

저는 어느 날 한 설교자의 "세상은 하나님의 뜻에 단순히 온전하게 헌신한 사람들을 통해 하나님이 하실 수 있는 일을 아직도 보고자 합니다"라는 말씀을 듣고 "제가 그런 사람이 되기를 원합니다"라고 응답했을 따름입니다.

어느 토요일 저녁, 한 가정의 기도 모임에서 무릎을 꿇고 경건히

기도하던 한 그리스도인의 모습에 충격을 받은 독일 출신의 청년 조지 뮬러(George Mueller)는, 성경과 기도로만 일생을 살기로 결심합니다. 그는 일생에 성경을 200번(1년에 세 번) 통독하고, 매일 한 시간 이상 기도하는 삶을 살며, 사람을 의지하기보다 하나님만을 의지하고 믿음의 원리를 따라 물질의 공급을 받는(돈을 빌리지 않는다는 원칙) 은혜를 체험하기 시작합니다. 그렇게 해서 5만 번이나 기도의 응답을 받는 기적의 사람이 됩니다. 30세에 성경을 읽다가 하나님의 고아 사랑을 깨닫고 "네 입을 크게 열라 내가 채우리라"(시 81:10)라는 말씀을 받은 아침, 그는 거리로 나가 고아들을 데려다 기르며 그들을 돌보기 시작합니다. 얼마나 비상식적인 단순함입니까? 그러나 그는 날마다 자신의 필요를 공급하시는 하나님의 은혜를 체험하며, 2천 명 이상의 고아를 양육하게 됩니다. 또한 고아원을 운영하며 믿음과 기도로 750만 달러(약 30억 원) 이상의 사역 지원을 공급받습니다. 그는 기적의 사람, 고아들의 아버지, 믿음의 산 중인의 삶을 살았습니다. 그러나 그의 위대한 삶의 비밀은 '단순한 믿음', '단순한 헌신'이었습니다.

하나님은 본문의 어린아이처럼 예수님이 필요하다고 하시면 자신의 도시락을 기꺼이 내어 드리는 단순한 헌신자들, 그들을 통해 당신의 역사를 만들어 오셨습니다. 당신은 어떤 유형입니까? 당신은 이런 단순한 헌신자에 속하는 삶을 살고 있습니까?

세상은 끊임없이 큰일, 큰사람을 말하지만,

하나님 나라는 수많은 작은 일을 성실하게

감당해 온 작은 사람들에 의해

역사가 완성되어 갑니다.

-

"저물매 제자들이 바다에 내려가서 배를 타고 바다를 건너 가버나움으로 가는데 이미 어두웠고 예수는 아직 그들에게 오시지 아니하셨더니 큰 바람이 불어 파도가 일어나더라 제자들이 노를 저어 십여 리쯤 가다가 예수께서 바다 위로 걸어 배에 가까이 오심을 보고 두려워하거늘 이르시되 내니 두려워하지 말라 하신대 이에 기뻐서 배로 영접하니 배는 곧 그들이 가려던 땅에 이르렀더라"(요 6:16-21).

16

내니
두려워하지 말라

그리스도인이란 예수님을 인생의 항해사로,
선장으로, 캡틴으로 모신 사람이다

두려움은 삶의 존재 양식입니다. 우리는 모두 각자 다르게 무엇인가를 두려워하며 살아가고 있습니다. 사전을 찾아보면 공포증(phobia) 리스트가 천여 개를 초과합니다. 알파벳 A에서 Z까지 무수한 공포증이 열거되고 있습니다. 한어 의학 사전 '가'의 목록에서 흥미로운 것들만 열거해 보면, 가난 공포증, 가만히 있음 공포증, 감금 공포증, 강 공포증, 강도 공포증, 개 공포증, 개구리 공포증, 거미 공포증, 거울 공포증, 결혼 공포증, 계단 공포증, 고독 공포증, 고소 공포증, 고통 공포증, 고양이 공포증, 곤충 공포증, 공기 공포증, 광장 공포증, 구토 공포증, 군중 공포증, 귀신 공포증, 기형아 공포증, 기형아 출산 공포증, 길 공포증, 길 건넘 공포증, 깃털 공포증, 깊은 것

공포증 등이 있고, '나'의 목록에 들어가면 나쁜 사람 공포증, 남이 쳐다봄 공포증, 남자 공포증, 낯선 사람 공포증, 냄새 공포증, 노상 강도 공포증, 높이 공포증, 뇌질환 공포증 등이 있습니다.

인터넷에는 소위 사회 명사들의 공포증 리스트가 소개된 것도 있습니다. 에펠탑을 디자인한 구스타브 에펠(Gustave Eiffel)은 높은 곳에 대한 고공 공포증을 갖고 있었다고 합니다. 북한의 김일성, 김정일 부자는 비행기 공포증을 갖고 있었다고 합니다. 배우 니콜 키드먼(Nicole Kidman)은 나비 공포증이 있다고 하고, 배우 손튼(Billy Bob Thorton)은 앤티크 가구를 두려워해서 영화 촬영 때마다 가구 배치로 애를 먹었다고 합니다. 또한 영화 〈007〉 시리즈의 제임스 본드는 총이 장전되어 있을까 봐 항상 두려워했다고 합니다. 영화감독 히치콕(Alfred Hitchcock)은 계란 공포증을, 미키 마우스를 만든 월트 디즈니(Walt Disney)는 쥐에 대한 공포증을 가지고 있었으며, 동화작가 한스 앤더슨(Hans Anderson)은 불에 타 죽는 것에 대한 두려움이 있어서 글을 쓰다가 잠이 들면 '나는 잠을 자고 있지 죽은 것이 아니다'라는 사인을 침대 모서리에 놓았다고 합니다. 또한 농구선수 마이클 조던(Michael Jordan)은 물에 대한 공포증이, 영화감독 우디 앨런(Woody Allen)은 거미에 대한 공포증이 있다고 합니다. 명감독인 스티븐 스필버그(Steven Spilberg)도 곤충에 대한 두려움이 있다고 합니다. 그리고 미국 대통령인 도널드 트럼프(Donald Trump)는 계단 공포증이 있다고 합니다.

본문은 예수님의 제자들이 배를 타고 가버나움으로 향하다 파도를 만났을 때, 바람과 파도를 타고 자신들을 향해 오시는 예수님의 모습을 보고 두려워했다고 증언합니다.

> "제자들이 노를 저어 십여 리쯤 가다가 예수께서 바다 위로 걸어 배에 가까이 오심을 보고 두려워하거늘"(요 6:19).

같은 장면에 대해 마태복음 14장은, 제자들이 유령인가 하여 소리 지르며 공포에 빠졌다고 기록합니다. 인생의 항해에서 이런 뜻밖의 두려움의 환경, 즉 공포 상황을 만났을 때 우리가 할 일은 무엇입니까?

두려워하지 말라

예수님은 제자들에게 "내니 두려워하지 말라"(요 6:20)라고 말씀하십니다. 이를 원문으로 해석하면 '두려움을 그치라, 중단하라'는 말입니다. 두려움은 두려워하면 할수록 그 감정이 증폭됩니다. 일단 두려워하던 것을 그쳐야 한다는 말입니다. 실상 우리가 두려워하는 대부분은 실체가 없는 것들입니다. 그럼에도 두려워하는 이유는, 우리 마음속에 던져진 그릇된 허상 때문입니다. 심리학에서는 이런 현상을 '앵스트'(angst)라고 말합니다. 일종의 신경증적 불안이라고 할 수 있습니다. 그리고 이런 것들은 대부분 실제 대상과는 무관한 것이라고 정의됩니다. 그럼에도 이런 감정은 어떤 표상에도 고착될 수 있는데, 삶의 여러 가능성 중에 최악의 상황을 가정하고 미리 불안해하거나 두려워하는 것입니다. 그래서 많은 경우, 어떤 위험이나 실제적인 공격이 없음에도 우리 안에서 야기된 내적 불안은 우리의 감정을 마비시키고 우리의 신체에 증상을 초래하기도 합니다. 오늘날 많은 사람이 그럴 만한 분명한 이유도 없이 슬퍼하고, 불안해하고, 초조해하고, 두려워합니다. 이것이 바로 '앵스트' 감정, '앵스트' 현상, '앵스트' 신드롬입니다.

1941년에서 1945년 사이, 제2차 세계대전 중에 해외 전장에서 죽은 미국인의 숫자는 약 30만 명이었다고 합니다. 그런데 같은 기간, 본토에서 전쟁에 대한 염려와 불안, 두려움으로 죽은 사람은 1백만 명이 넘었다고 합니다. 전쟁보다 더 무서운 것이 바로 우리 안에서 일어나고 있는 염려와 걱정, 불안과 공포인 것입니다. 그래서 성경은 끊임없이 우리에게 일단 염려를 그치라고, 걱정도 그치고 두려움도 내려놓으라고 말씀합니다. 그래야 그 상황에서 말씀하시는 주의 음성을 들을 수 있기 때문입니다.

톱밥 창고를 소유한 한 부자가 이른 아침 창고에 들어갔다가, 자신이 소중히 여기던 고급 시계를 잃어버렸습니다. 그는 일꾼들을 불러 먼저 찾는 사람에게 큰 상금을 주겠다고 약속했습니다. 일꾼들은 오전 내내 샅샅이 뒤졌지만 아무도 시계를 찾지 못했습니다. 그런데 모두가 점심을 먹으러 나간 사이, 한 소년이 창고에 들어가더니 불과 10여 분 만에 시계를 찾아냈습니다. 주인이 어떻게 찾았느냐고 묻자 소년은 이렇게 말했습니다.

"창고에 들어가 아무 일도 하지 않고 가만히 앉아 귀를 기울였더니 시계 소리가 들렸습니다!"

모세가 홍해 앞에서 두려움에 사로잡힌 이스라엘 백성에게 한 말이 무엇이었습니까?

> "너희는 두려워하지 말고 가만히 서서 여호와께서 오늘 너희를 위하여 행하시는 구원을 보라"(출 14:13).

갈릴리 바다의 폭풍 속에서 두려움에 사로잡힌 제자들에게 주님은 "내니 두려워하지 말라"(요 6:20)라고 말씀하셨습니다. 두려움을 그치는 순간, 주님의 음성이 들린 것입니다.

하나님이신 예수님을 바라보라

본문의 '내니'라는 말은 헬라어로 '에고 에이미'(ego eimi)이며, 영어로는 'I am'으로 번역됩니다. 그런데 이것은 그냥 '나야!'라는 표현 정도가 아니라, 예수 그리스도의 신성을 나타내는 독특한 단어입니다. 이 단어의 구약적 배경이 출애굽기에 등장합니다. 하나님이 모세를 불러 출애굽의 역사적 소명을 맡기실 때, 모세는 하나님의 이름이 무엇인지를 묻습니다. 그때 하나님은 "나는 스스로 있는 자"(출 3:14)라고 대답하십니다. 영어로는 "I AM THAT I AM"(KJV)입니다. 그분은 영원히 현존하시는 분, 곧 I am이신 것입니다. 이 단어는 요한복음에 일곱 번 이상 등장합니다. 요한복음에서 증언되는 예수님은 그냥 훌륭한 스승 정도가 아니라, 하나님이시라는 증언입니다. 이것을 신학에서는 '예수님의 신성'이라고 말합니다.

앞선 장에서, 이 복음서에는 예수님이 행하신 일곱 가지 기적(표적)이 기록되어 있다고 했습니다. 이 모든 기적의 기록 목적은 한결같이 예수님의 신성을 증거하는 것입니다. 첫 번째 표적인 갈릴리 가나의 혼인 잔치에서 물을 포도주로 변화시키신 기적은, 질적 변화를 가능하게 하시는 예수님의 신성을 증거하는 것입니다. 두 번째 표적인 왕의 신하의 아들을 그가 누워 있는 집에 가지 않고 말씀만으로 고치신 기적은, 공간을 초월해서 역사하시는 그분의 신성을 증거하는 것입니다. 세 번째 표적인 베데스다 연못가의 38년 된 병자를 고치신 기적은, 시간을 초월해서 일하시는 주님의 신성을 증거하는 사건이고, 네 번째 표적인 오병이어로 1만 명 이상의 군중을 먹이신 기적은, 질적 변화뿐 아니라 양적 변화도 해결하는 신적인 분이심을 증거하는 것입니다. 그리고 본문의 다섯 번째 표적인 파도와 풍랑을 잠잠하게 하고 제자들을 인도하시는 기적은, 그분이 자연도 다스리는 신적인 분이심을 증언합니다.

마태복음에는 "배에 함께 오르매 바람이 그치는지라"(마 14:32)라고 기록되어 있습니다. 바람도 파도도 다스리시는 그분이 두려움에 사로잡혀 있던 제자들에게 말씀하십니다.

"내니 두려워하지 말라"(요 6:20).

"안심하라 나니 두려워하지 말라"(마 14:27).

무슨 뜻입니까?

"나야 나. 하나님이야!"

우리가 예수님을 바라본다는 것은, 전지하고 전능한 신성을 지니신 하나님을 바라본다는 의미입니다. 두려움 가운데 있습니까? 그렇다면 지금, 그 전지하고 전능한 하나님이신 예수님을 바라보십시오. 그분이 해답이십니다.

예수님을 우리의 상황 속에 초대하라

"이에 기뻐서 배로 영접하니 배는 곧 그들이 가려던 땅에 이르렀더라"(요 6:21).

두려워하던 제자들이 마침내 흔들리는 그들의 배에 예수님을 초대하고 영접했습니다. 그러자 바람이 그쳤고, 그들은 가고자 했던 목적지로 갈 수 있었습니다. 그리스도인이란 인생의 항해에서 어느 날 예수님을 자신의 항해사로, 선장으로, 캡틴으로 모셔 들인 사람들입니다. 세속적 인본주의로 인생을 살아가는 사람들의 인생

선언은 "나는 내 운명의 주인이고, 나는 내 영혼의 선장이다"(I am the master of my fate, the captain of my soul)입니다. 이는 윌리엄 헨리 (William Ernest Henry)의 시에서 나온 말입니다. 그러나 어느 날 하나님이신 예수님을 만난 후, 우리는 이 고백을 폐기하고 바꾸었습니다.

"아닙니다. 나는 내 운명의 주인도, 내 영혼의 선장도 아닙니다. 그렇게 살아 보았지만 그것은 혼돈이었고, 불안이었으며, 절망이었습니다. 이제는 예수 그리스도만이 내 운명의 주인이시고, 예수 그리스도만이 내 영혼의 선장이십니다."

본문은 요한복음 6장 1-15절까지의 오병이어 사건에 이어진 기록으로 등장합니다. 그런데 같은 내용을 마가복음에서 읽어 보십시오.

"배에 올라 그들에게 가시니 바람이 그치는지라 제자들이 마음에 심히 놀라니 이는 그들이 그 떡 떼시던 일을 깨닫지 못하고 도리어 그 마음이 둔하여졌음이러라"(막 6:51-52).

얼마 전 오병이어의 기적을 행하실 때, 제자들은 그분의 신적 능력을 충분히 목격하고 경험했습니다. 그분의 신성을 만나고, 그분의 전지하심과 전능하심을 체험한 것입니다. '그런 분이 우리의 주님이셨구나' 하고 깨달은 것입니다. 그런데 잠시 후, 그들이 탄 배가 풍랑을 만나고 파도를 만나자, 그들은 다시 두려워하고, 다시 불안해하고, 다시 불신에 사로잡히고 말았습니다. 이것이 바로 그리스도인이 되었으나 여전히 연약한 인생의 모습이 아닙니까? 그래서 마가복음에서는 "그들이 그 떡 떼시던 일을 깨닫지 못하고 도리어 그 마음이 둔하여졌음이러라"라고 기록한 것입니다. 그러므로 우리 대부분은 과거 한때 예수 그리스도를 영접한 사람들이지만, 매일의 삶의 상황마다 예수님을 초대하고 모시는 일을 잊지 말아야 합니다. 이는 어제 내게 오신 그분이 오늘도 다시 우리 삶의 주인으로 일하시기 위해서입니다. 그때 우리의 삶은 날마다 부활의 능력을 체험하는 삶이 될 것입니다.

고르바초프(Mikhail Gorbachev)를 통한 구소련의 페레스트로이카(perestroika), 곧 '개혁'과 글라스노스트(glasnost), 곧 '개방'이 시작된 후, 모스크바를 찾았던 한 서구 그리스도인은 부활절 아침 정교회의 독특한 축하 예배 광경을 목격할 수 있었다고 합니다. 새벽이 밝기 전, 어둠 속에서 교인들이 촛불을 들고 교회 앞마당에 모여들기 시작합니다. 성가대도 한 쪽에 모입니다. 이들은 성가대의 선창을 따라 찬송을 부르며 마당을 돌다가, 행렬의 선두에 선 이들이 종종 교회당 문을 두드립니다. 그러나 교회당 문은 열리지 않습니다. 그러다 마침내 새벽의 빛이 동쪽에서부터 밝아 오면, 갑자기 교회당 정문이 활짝 열리며 사제가 나와 큰 소리로 외칩니다.

"예수님이 부활하셨습니다"(Jesus is risen)!

마당에 가득한 이들 또한 성가대와 함께 큰 소리로 외칩니다.

"예수님은 진실로 부활하셨습니다"(Jesus has risen Indeed)!

진실로 그 땅에 봄이 온 것입니다. 새 아침이 밝은 것입니다. 어둠은 지났습니다. 더 이상 두려워할 것은 아무것도 없습니다. 다시 사신 그리스도, 곧 하나님이신 예수님을 우리가 영접하고 오늘의 역사 속에 모신다면, 어둠은 지나갈 것입니다.

혹시 당신은 어두운 앵스트의 계절을 지나고 있습니까? 이 차갑고 칙칙한 역사의 겨울에 부활의 주님을 다시 바라볼 수 있다면, 역사의 새 봄이 곧 올 것입니다. 할렐루야!

우리가 매일의 삶의 자리에서
예수님을 초대하고 모실 때,
우리의 삶에 부활의 능력이 임하게 될 것입니다.

-

"예수께서 이르시되 내가 진실로 진실로 너희에게 이르노니 모세가 너희에게 하늘로부터 떡을 준 것이 아니라 내 아버지께서 너희에게 하늘로부터 참떡을 주시나니 하나님의 떡은 하늘에서 내려 세상에 생명을 주는 것이니라 그들이 이르되 주여 이 떡을 항상 우리에게 주소서 예수께서 이르시되 나는 생명의 떡이니 내게 오는 자는 결코 주리지 아니할 터이요 나를 믿는 자는 영원히 목마르지 아니하리라 그러나 내가 너희에게 이르기를 너희는 나를 보고도 믿지 아니하는도다 하였느니라"(요 6:32-36).

17

나는
생명의 떡

만나는 일시적인 필요를 채우지만,
생명의 떡은 영원한 필요를 채운다

제2차 세계대전을 초래한 주요 인물 중 하나로 아돌프 히틀러(Adolf Hitler)를 기억할 것입니다. 그는 6백만 유대인을 죽음의 자리로 보낸 홀로코스트의 주인공이자, 세계대전을 일으켜 세상을 상대로 큰 불장난을 한 인물입니다. 그의 인물 됨을 알기 위해, 우리는 그의 어린 시절에 주목할 필요가 있습니다.

히틀러에게는 다섯 명의 형제가 있었습니다. 하지만 한 명만 생존하고 모두 어린 나이에 세상을 떠나고 말았습니다. 그의 아버지는 세관 공무원이었으나, 직장에서 받은 스트레스를 집으로 가져와 아내와 아들에게 쏟아 부었다고 합니다. 그는 아내와 아들에게 잔인하고 폭력적인 남편과 아버지였습니다. 그는 특히 아들 아돌

프에게 병적일 만큼 학대적이었다고 합니다. 심리학자들은 히틀러의 아버지에 대한 증오심이 훗날 유대인에 대한 증오로 전이된 것으로 보고 있습니다. 그는 늘 버림받을 것에 대한 두려움과 열등감에 시달렸다고 합니다. 또한 부친에 대한 혐오감은 그로 하여금 어머니에게 정서적으로 집착하게 만들어, 모친에 대한 근친상간적 욕망, 소위 오이디푸스 콤플렉스(Oedipus complex, 아버지와 싸워 아버지의 힘을 갖고자 하는 욕망)를 갖게 합니다.

14세에 부친이 죽자, 그는 학업에 대한 의욕을 완전히 상실합니다. 유일한 꿈이었던 화가 시험에도 실패하면서 세상을 복수의 대상으로 바라보기 시작합니다. 그러면서 성공과 인정, 권력에 더 비정상적으로 집착하고 굶주려하는 일종의 '경계선 성격장애'(borderline personality disorder)를 갖게 되었다고 합니다. 그는 어떤 것으로도 만족하지 못하고 불안해하는 굶주리고 배고픈 사람, 그래서 오히려 싸움을 통해 자신의 존재를 증명하려는 사람이 된 것입니다. 그는 나중에 정치적 권력을 갖게 되었지만, 그것으로 만족하지 못하고 더 큰 권력과 자기애를 만족시키기 위한 투쟁에 몰두하게 됩니다. 자신만이 독일을 구원할 수 있다는 '메시아 콤플렉스'의 지배를 받게 된 것입니다. 폭동을 일으킨 뒤 감옥에서 쓴 그의 자서전《나의 투쟁》은 이러한 내면의 불안과 열등감, 불만족의 표출이었다고 평가됩니다. 그는 상당한 권력을 갖게 되었지만, 상대적으로 배고프고 목마른 영혼이었습니다.

이러한 '경계선 성격장애'와 '메시아 콤플렉스'는 히틀러 한 사람에게만 해당하는 문제일까요? 모든 일에 불안해하고, 만족하지 못하며, 감정이 극에서 극으로 기복을 경험하는 자아상의 혼란은 어쩌면 포스트모던 시대를 살아가는 우리 모두가 겪고 있는 보편적인 장애 현상일지도 모릅니다. 우리는 과거 어느 때보다 풍요의 시대를 살고 있지만, 사람들은 여전히 무엇인가에 목말라하고 배고파합니다. 이런 우리에게 정말 목마름을 그치고 배고픔에서 헤어나는 해답이 존재할까요?

육적인 양식의 한계를 인정하라

먼저는 육적인 양식의 한계를 인정해야 합니다. 무슨 말입니까? 육적인 양식으로는 우리의 목마름과 배고픔을 해결할 수 없다는 것입니다. 다시 말하면, 우리의 목마름과 배고픔의 본질은 영적이기 때문에, 육적인 해답은 인생 실존의 해답이 될 수 없다는 것입니다. 사도 요한은 본문에 선행하는 내용으로 오병이어의 기적을 기록하고 있습니다. 그런데 보리떡 다섯 개와 물고기 두 마리로 1-2만 명 이상의 사람을 먹이시는 기적을 보았음에도, 그 시대의 사람들은 아직도 예수님이 하나님이심을 믿지 못하고 있었던 듯합니다. 물론 이 엄청난 기적을 행하시는 분에 대해 어떤 존경심을 가지고 따르고는 있었지만, 아직 그분을 구주와 주님으로 신뢰한 것은 아니었습니다. 표적을 통한 메시지가 아닌 육의 배부름 때문에 그분을 따랐다는 것입니다.

> "예수께서 대답하여 이르시되 내가 진실로 진실로 너희에게 이르
> 노니 너희가 나를 찾는 것은 표적을 본 까닭이 아니요 떡을 먹고
> 배부른 까닭이로다"(요 6:26).

자, 이제 그들은 배가 채워졌습니다. 그러나 그것으로 그들의 영적인 허기가 해결된 것은 아니었습니다. 우리가 살아가는 이 땅에 6.25전쟁이 일어나고 모든 생존의 기반이 파괴되었을 때, 우리는 문자 그대로 육의 양식, 곧 의식주(입을 옷, 먹을 음식, 살아갈 집)를 해결하기 위해 우리의 모든 것을 걸고 땀을 흘려 주야로 일에 열중했습니다. 그리고 전쟁이 끝난 지 70여 년이 흐른 지금, 우리는 소위 산업화와 민주화를 실현하고 마침내 OECD 선진국의 문턱에 도달해, 국내총생산(GDP) 세계 12위권의 나라가 되었습니다. 이제는 거리에서 먹을 것을 구걸하는 사람을 찾아보기 어려운 사회가 된 것입니다.

그러면 우리는 그만큼 행복한 민족이 되었을까요? 지난 2015년 4월, 대한신경정신의학회에서 우리나라 성인의 행복지수를 조사했습니다. 만 25세부터 59세까지의 남녀 1천 명을 대상으로 한 '정신건강과 행복지수 조사'에서 이 땅의 성인 중 36퍼센트는 자신이 불행한 삶을 산다고 고백하고 있었습니다. 조사 대상자 중 약 3분의 1 정도가 우울증과 불안장애 그리고 분노 조절에 실패하고 있다고 고백한 것입니다. 치료받고 싶다고 고백한 사람이 42퍼센트

였습니다. 그런데 거의 같은 때에 UN 산하기관이 거의 같은 설문을 가지고 세계 143개국의 사람들을 대상으로 한 조사를 실시했습니다. 그 결과, 세계 성인의 평균 행복지수는 71점, 그 기준에 의한 한국인의 행복지수는 59점으로 전 세계 143개국 중 118위였습니다. 거의 바닥권이라고 할 수 있습니다. GDP(경제력)와 행복은 관계가 없다는 것이 증명된 것입니다. 그것이 육적 행복 조건의 한계라고 할 수 있습니다.

영적인 양식의 필요를 인정하라

인간 문제의 본질이 육적인 것이 아니라면, 이제 우리는 영적인 해답을 갈구해야 합니다. 이 말은 인간에게 육적인 양식의 문제가 중요하지 않다는 뜻은 결코 아닙니다. 예수님도 굶주린 사람들의 필요를 보고 기적을 행함으로 그들의 육적인 문제를 해결해 주셨습니다. 기독교의 복음이 전해진 모든 곳에서 기아의 문제는 언제나 진지한 기독교적 소명의 하나로 다루어져 왔습니다. 하지만 인간은 육적인 필요만으로 결코 만족하거나 참된 행복을 누릴 수 없습니다. 이에 대해 예수님은 무엇이라고 말씀하십니까?

"썩을 양식을 위하여 일하지 말고 영생하도록 있는 양식을 위하여 하라 이 양식은 인자가 너희에게 주리니 인자는 아버지 하나님께서 인치신 자니라”(요 6:27).

그리고 이어서 광야의 만나와 예수님의 생명의 떡을 비교하십니다.

우선 광야의 만나도, 생명의 떡도 모두 하나님의 선물입니다. 하나는 육체의 양식이고, 또 하나는 영혼의 양식입니다. 그러나 현저한 차이가 있다면, 만나는 썩을 것이지만, 생명의 떡은 썩지 않는다는 것입니다. 따라서 만나는 일시적인 필요를 채우는 것이지만, 생명의 떡은 영원한 필요를 채우는 것입니다. 예수님은 생명의 떡의 본질을 어떻게 말씀하십니까?

“하나님의 떡은 하늘에서 내려 세상에 생명을 주는 것이니라”(요 6:33).

여기서 생명은 육적인 생명이 아닌 영적인 생명입니다. 이때 제자들은 이렇게 대답합니다.

“그들이 이르되 주여 이 떡을 항상 우리에게 주소서”(요 6:34).

이제 그들은 자신들에게 진정 필요한 것이 만나 같은 지상의 떡이 아니라, 하나님이 하늘로부터 직접 주시는 영적인 떡, 영적인 생명인 것을 알아차렸습니다. 예수님이 말씀하신 그대로 “사람이

떡으로만 살 것이 아니요 하나님의 입으로부터 나오는 모든 말씀
으로 살 것이라"(마 4:4)라는 진리에 동의하게 된 것입니다. 인간은
육적인 양식 이상의 영적인 양식, 영적인 말씀, 영적인 해답이 필
요합니다.

예수님이 해답임을 신뢰하라

본문 34절에 기록된 제자들의 간절한 목소리를 다시 한번 들어 보
십시오.

"주여 이 떡을 항상 우리에게 주소서"(요 6:34).

이 떡은 만나와 같은 일시적인 굶주림을 해결하는 일용할 양식이
아니었습니다. 아버지께서 하늘로부터 예수님을 통해 주시는 그
무엇을 구한 것입니다. 이 엄청나게 중요한 요청이 드려지는 순간,
제자들을 향해 '예수님의 일곱 가지 자기계시'(7 I am) 중 또 하나의
위대한 메시지가 선포됩니다.

"예수께서 이르시되 나는 생명의 떡이니 내게 오는 자는 결코 주
리지 아니할 터이요 나를 믿는 자는 영원히 목마르지 아니하리
라"(요 6:35).

여기서 '나'는 다시 헬라어의 '에고 에이미'(나, 하나님)라는 선언입니다. 그분이 하나님이시기에, 오직 그분만이 당신의 피조물인 인간의 배고픔과 목마름을 해결하실 수 있다는 말입니다. 그래서 생명의 떡이신 그분은 2천 년 전 유대 땅 베들레헴에 오셨습니다. '베들레헴'의 뜻이 무엇입니까? '벧'은 집, '레헴'은 떡, 합쳐서 '떡집'이라는 의미입니다. 생명의 떡이신 메시아, 곧 구세주이신 그분이 이 떡집 베들레헴에 오신 것입니다. 이는 구약 예언의 놀라운 성취였습니다. B.C. 700여 년 전에 예언된 미가서 5장 2절의 말씀을 보십시오.

"베들레헴 에브라다야 너는 유다 족속 중에 작을지라도 이스라엘을 다스릴 자가 네게서 내게로 나올 것이라 그의 근본은 상고에, 영원에 있느니라."

무슨 말입니까? 상고에, 태초에, 아니 영원 전부터 계시던 그분이 유대 땅 작은 마을에 구세주로 오신다는 것입니다. 그분의 존재가 바로 인류의 배고픔과 목마름의 해답인 것입니다. 문제는, 우리가 그분을 그런 존재로 믿느냐는 것입니다. 믿을 수만 있다면, 우리는 배고프고 목마른 세상 한복판에서 조용한 평화, 확실한 만족을 누리는 놀라운 삶을 선물로 받게 될 것입니다.

서두에서 독일의 히틀러에 대해 이야기했습니다. 그런데 제2차 세계대전 말기, 히틀러에 맞서 싸우다가 순교한 본회퍼(Dietrich

Bonhoeffer) 목사는 어쩌면 히틀러와는 정반대의 내면의 삶을 소유한 사람이었습니다. 그는 조국과 세계의 복지를 위해 히틀러에 대항했지만, 그에게는 권력이나 성공이 아닌 국민의 행복한 내면의 삶이 더 중요했습니다. 감옥에서도 그는 묵상과 기도에 열중하며 놀라운 평안을 누렸고, 함께 갇힌 이들을 위로하며 영적으로 지도했습니다. 그의 영혼은 감옥 안에서도 목마르지 않는 생수를 마셨고, 진리의 말씀으로 배부른 상태였습니다. 사형이 집행되기 전, 그는 밝아 오는 한 해를 맞이하며 옥중에서 시 한 편을 남겼습니다. 제목은 〈선한 능력으로〉입니다. 최근 이 시가 독일 지그프리트 피에츠(Siegfried Fietz) 음악사에 의해 찬양으로 만들어져 전 세계 많은 그리스도인에게 깊은 울림과 감동을 선물하고 있습니다. 이 곡은 우리말로도 번역되어 불리고 있는데, 아래 가사는 '나무엔'이 번안한 내용입니다.

(1절)
그 선한 힘에 고요히 감싸여 그 놀라운 평화를 누리며
나 그대들과 함께 걸어가네 나 그대들과 한 해를 여네

(2절)
지나간 허물 어둠의 날들이 무겁게 내 영혼 짓눌러도
오 주여 우릴 외면치 마시고 약속의 구원을 이루소서

(3절)

주께서 밝히신 작은 촛불이 어둠을 헤치고 타오르네

그 빛에 우리 모두 하나 되어 온 누리에 비추게 하소서

(4절)

이 고요함이 깊이 번져 갈 때 저 가슴 벅찬 노래 들리네

다시 하나가 되게 이끄소서 당신의 빛이 빛나는 이 밤

(후렴)

그 선한 힘이 우릴 감싸시니 믿음으로 일어날 일 기대하네

주 언제나 우리와 함께 계셔서 하루 또 하루가 늘 새로워

4개월 후, 본회퍼 목사가 수감되어 있던 감옥의 문이 열리더니 두 명의 간수가 들어와 "본회퍼 죄수, 준비하고 나갑시다"라고 말합니다. 교수형을 알리는 신호였습니다. 본회퍼 목사는 미소를 지으며 "끝이군요. 그러나 저에게는 새로운 삶의 시작입니다"라는 말을 남기고 조용히 일어섭니다. 그의 처형 현장에 입회했던 의사 피셔 휠슈트룽(Fischer-Huellstrung)은 이런 증언을 남깁니다.

지난 50년간 의사로 일하면서 그토록 경건하게 죽음을 맞이한 분을 저는 본 적이 없습니다.

본회퍼와 함께한 하늘의 능력, 하늘의 평화가 오늘의 우리에게도 필요하지 않은가요? 그리스도가 주시는 생명의 선한 능력 말입니다. 그리스도는 정녕 우리의 생명의 떡, 우리의 만족이십니다. 그 떡을 먹고 행복한 영혼이 되십시오.

―

"그 후에 예수께서 갈릴리에서 다니시고 유대에서 다니려 아니하심은
유대인들이 죽이려 함이러라 유대인의 명절인 초막절이 가까운지라
그 형제들이 예수께 이르되 당신이 행하는 일을 제자들도 보게 여기를
떠나 유대로 가소서 스스로 나타나기를 구하면서 묻혀서 일하는 사람
이 없나니 이 일을 행하려 하거든 자신을 세상에 나타내소서 하니 이
는 그 형제들까지도 예수를 믿지 아니함이러라 예수께서 이르시되 내
때는 아직 이르지 아니하였거니와 너희 때는 늘 준비되어 있느니라 세
상이 너희를 미워하지 아니하되 나를 미워하나니 이는 내가 세상의 일
들을 악하다고 증언함이라 너희는 명절에 올라가라 내 때가 아직 차지
못하였으니 나는 이 명절에 아직 올라가지 아니하노라 이 말씀을 하시
고 갈릴리에 머물러 계시니라"(요 7:1-9).

18

나의 때

하나님의 때를 기다려야 할 중요한 이유는,

그분을 신뢰하기 때문이다

인류 역사에는 시간에 대한 두 가지 대조적 관점이 존재합니다. 하나는, 불교나 힌두교가 대표하는 '순환론적 시간관'입니다. 이는 돌고 도는 시간으로, 이런 관점은 시간에 대한 긴장을 배제합니다. 오늘은 언젠가 윤회나 환생을 통해서 다시 돌아올 것이기 때문입니다. 다른 하나는, 기독교가 대표하는 '종말론적 시간관'입니다. 이 시간관은 처음과 마지막, 알파와 오메가가 존재하는 것으로, 오늘은 다시 돌아올 수 없는 시간입니다. 그러나 종말론적 시간관에서 종말은 단순히 끝이 아닌, 완성을 의미합니다. 오늘이라는 시간은 바로 그 완성의 오메가 포인트를 향해 흐르고 있습니다. 그래서 오늘은 긴장을 요구하고, 결단을 요청합니다. 이런 종말론적 시간관을 가진 문화권이 대체로 문화나 과학을 발전시키는 것은, 이런 시간에 대한 진지하고 긴장된 태도 때문이라고도 할 수 있습니다.

그런데 성경을 보면, 시간을 의미하는 두 개의 구별된 단어가 사용됩니다. 앞선 4장에서 살펴본 바와 같이, 하나는 크로노스라 부르는데, 이는 어떤 특별한 의미를 지닐 필요 없이 그냥 흘러가는 시간입니다. 이것과 비교되는 개념으로 성경은 카이로스라는 단어를 사용하는데, 이것은 결정적인 하나님의 간섭으로 하나님의 목적을 이루기 위한 시간입니다. 본문에서 예수님이 "내 때는 아직 이르지 아니하였거니와 … 내 때가 아직 차지 못하였으니"(요 7:6, 8)라고 말씀하실 때 바로 이 '카이로스'가 쓰였습니다. 요한복음에서는 이 단어가 일곱 사건에 등장하는데, 그 처음은 예수님의 어머니 마리아가 예수님에게 갈릴리 가나의 혼인 잔치에서 포도주가 떨어졌을 때 해결을 요구하는 장면에서 사용됩니다. 그때 예수님은 "내 때가 아직 이르지 아니하였나이다"(요 2:4)라고 말씀하셨습니다. 요한복음에 마지막으로 등장하는 것은 요한복음 17장 1절입니다.

"예수께서 이 말씀을 하시고 눈을 들어 하늘을 우러러 이르시되 아버지여 때가 이르렀사오니 아들을 영화롭게 하사 아들로 아버지를 영화롭게 하게 하옵소서."

이때는 바로 십자가의 때입니다. 예수님이 십자가에 달리시는 때야말로 인류 구원을 위한 가장 중요한 때가 아닐까요? 예수님의 전

생애는 바로 그때를 준비하는 시간이었던 것입니다. 여기서 우리는 예수님을 따르는 제자로서 물어야 할 중요한 질문을 만나게 됩니다. 우리 인생의 완성을 위해 우리에게 주어진 삶의 기회를 우리는 어떻게 선용하며 살아가야 할까요?

때를 기다리라

우리가 잘 아는 것처럼, 예수님은 당신의 사명을 이루기 위해 3년간 공생애를 사셨습니다. 그러나 그 이전에는 30년이라는 사적인 생애가 있었습니다. 그 30년을 예수님은 나사렛에서 육신의 아버지 요셉을 도와 목수의 삶을 사셨습니다. 그것은 조용하지만 메시아의 소명을 감당하기 위한 기다림의 시간이었습니다. 물론 그분이 범상하지 않은 메시아라는 징조들이 간간이 나타나고 있었습니다. 예컨대, 누가복음은 예수님이 열두 살 무렵, 부모와 함께 유월절을 지키고자 예루살렘에 가셨을 때, 예루살렘 성전에서 랍비들과 토론하시는 예수님의 지혜를 보고 들은 사람은 모두 놀라움을 금할 수 없었다고 기록합니다(눅 2:47 참조). 그러나 그럼에도 불구하고, 그분은 명절이 끝나자 부모와 함께 나사렛으로 돌아가 평범한 소년의 삶을 이어 가셨습니다.

"예수께서 함께 내려가사 나사렛에 이르러 순종하여 받드시더라"(눅 2:51).

그분은 다른 많은 사춘기 소년처럼, 집에서 부모에게 순종하며 성장하셨습니다.

그러던 중, 예수님께서 30세가 되어 메시아 되신 표적들을 행하며 당신의 신성을 드러내기 시작하자, 가장 당황한 것은 아마 그분의 가족들이었을 것입니다. 갈릴리 가나에서 행하신 일련의 기적들은 분명 그분이 범상하지 않은 하나님의 사람임을 증명하고 있었습니다. 하지만 그분은 아직 갈릴리를 떠나지 않고 계셨습니다. 그러자 어느 날, 정확히는 초막절이 가까운 때에, 그분의 육신의 형제들이 예수님께 건의한 내용이 본문 3-4절의 말씀입니다.

"그 형제들이 예수께 이르되 당신이 행하는 일을 제자들도 보게 여기를 떠나 유대로 가소서 스스로 나타나기를 구하면서 묻혀서 일하는 사람이 없나니 이 일을 행하려 하거든 자신을 세상에 나타내소서"(요 7:3-4).

유진 피터슨은 《메시지》에서 이 대목을 이렇게 번역합니다.

"공개적으로 알려지기를 바라는 사람치고 은밀히 일하는 경우는 없습니다. 형님이 지금 하고 있는 일을 계속하실 마음이면, 밖으로 나가서 세상에 드러내십시오."

유대 지방과 비교할 때, 지금 예수님이 살고 계시는 갈릴리는 궁벽한 시골이었기에, 형제들은 이제 당신이 메시아임을 유대에 가서 선포하고, 거기서 기적을 행하는 것이 마땅하다고 생각했습니다. 그들에게 예수님의 숨어 있는 모습은 메시아로서는 어울리지 않는 라이프스타일로 판단된 것입니다. 그들에게는 기다림이란 시간 낭비에 불과했던 것입니다.

예수의 형제들은 기다림의 미학을 배우지 못한 이들이었습니다. 생각해 보십시오. 아기가 열 달을 충분히 기다리지 못하고 엄마의 자궁에서 나온다면 어떻게 되겠습니까? 우리는 그런 아기들을 칠삭둥이 또는 팔삭둥이라 부르며 미숙아로 여기지 않습니까? 소위 천재 아동이라 불리며 제대로 된 교육 과정을 밟지 않고 반짝 스타로 군림하던 이들이, 후일 사회에 크게 기여하지 못하는 사례들이 주는 교훈은 무엇입니까? 과정을 차근차근 밟아 자신을 성숙시키는 '기다림'의 중요성이 아닙니까?

기다림의 반대어는 아마도 서두름일 것입니다. 영어에는 "haste makes waste"라는 표현이 있습니다. '서두름은 결국 시간을 낭비하게 만든다'는 뜻입니다. 또 다른 표현인 "more haste, less speed"(급할수록 천천히 하라)라는 말도 있습니다. 디모데후서 3장 1-4절에 보면, 바울 사도는 말세의 징조 중 하나로 "사람들이 … 조급하며"라고 말합니다. 조급함은 결과적으로 하나님의 때를 놓치게 하는 우를 범하는 것입니다. 우리 신앙의 선배들은, 믿음의 여정에서 배워야 할 중요한 레슨 중에 하나가 '하나님의 때를 기다릴 줄 아는 것'(waiting on God)이라고 했습니다. 우리가 하나님의 때를 기다려야 하는 중요한 이유는, 그분을 신뢰하기 때문입니다. 그렇다면 우리가 기다리지 못하는 이유는 무엇입니까? 그분을 신뢰하지 못하기 때문입니다. 사무엘상 13장 8절 이하에서 우리는 사울왕이 사무엘 선지자가 올 때를 기다리지 못하고 스스로 번제를 드림으로써, 결국 왕의 자리를 잃게 되는 장면을 보게 됩니다.

예수님이 기다리면서 부딪히신 중요한 일은, 주변의 편견을 극복하는 일이었습니다. 편견은 어디에나 존재합니다. 편견을 떠나서 인생을 산다는 것은 불가능한 일입니다. 중요한 것은 편견의 존재가 아니라, 편견의 극복입니다. 역사의 진보는 편견을 극복하는 과정이었고, 개인의 성장과 진보도 결국은 편견의 극복 과정이라고 할 수 있습니다. 예수님이 직면하셨던 편견을 보십시오. 이미 본문 3-4절에서도, 유대 예루살렘에 가서 스스로를 드러내지 않고 계신 예수님의 메시아 되심에 대해 그분의 형제들이 가지고 있었던 어떤 편견을 엿볼 수 있습니다. 이에 대한 요한의 진단을 보십시오.

"이는 그 형제들까지도 예수를 믿지 아니함이러라"(요 7:5).

결국은 예수님의 형제들에게 불신의 편견이 있었던 것입니다. 뿐만 아니라, 우리는 당시 유대인들 사이에 존재하던 예수님에 대한 대중의 편견을 만나게 됩니다.

"예수에 대하여 무리 중에서 수군거림이 많아 어떤 사람은 좋은 사람이라 하며 어떤 사람은 아니라 무리를 미혹한다 하나"(요 7:12).

여기 보십시오! 예수님도 모든 사람에게 좋은 사람이라는 평을 듣지 못하셨습니다.

최근 시중에 돌아다니는 유머 중에 소위 여론이나 언론의 평가라는 것이 얼마나 왜곡된 편견의 산물일 수 있는지를 풍자하는 이런 말들이 있습니다.

"예수가 죄 없는 자는 여인에게 돌을 던지라 한 것을 한 언론은 '예수, 매춘부 옹호 발언 파장', 다른 언론은 '예수, 연약한 여인에게 돌을 던지라 사주하다'라고 보도", "예수가 위선적 바리새인들에게 '독사의 자식들아' 한 것을 언론은 '예수, 막말하다'라고 보도", "소크라테스가 '악법도 법이다' 하자 언론은 '소크라테스, 악법 옹호 파장'으로 보도", "이순신 장군이 '내 죽음을 아무에게도 알리지 말라'고 하자 언론은 '이순신, 부하들에게 거짓말하도록 지시, 도덕성 논란 일파만파'라고 보도", "최영 장군이 '황금 보기를 돌같이 하라' 한 것을 언론은 '최영, 돌을 황금으로 속여 팔아 거액 챙긴 의혹'이라고 보도."

예수님은 이 땅에 계실 때 당신에 대한 여러 편견을 직면하며 십자가의 길을 가셨습니다. 인류를 구원하고자 하는 더 큰 소명으로 인해 당신에 대한 편견을 넘어서 그 편견까지 짊어지고 십자가에서 돌아가심으로, 그분은 모든 사람의 구주와 주님이 되셨습니다.

편견의 돌팔매가 날아올 때 우리를 견디게 하는 것은 사명입니다. 사명이 있으면 견딜 것입니다. 예수님은 그 사명 성취의 때를 바라보면서 묵묵히 편견을 이기신 것입니다.

때에 맞는 준비를 하라

앞서 살펴본 것처럼, 예수님은 갈릴리에서 기다림의 시간을 보내고 계셨습니다. 그러나 그것이 곧 예수님이 아무 일도 하지 않으셨다는 의미는 아닙니다. 기다림은 무위도식(無爲徒食)을 뜻하지 않습니다. 밥만 축내고 아무 일도 안 하신 것이 아니라, 그분은 꾸준히 하나님 아버지의 시간표를 따라 당신의 사역을 준비하고 계셨습니다. 사람들은 잘 알려진 무대에서 많은 청중을 대상으로 공개적인 행동을 한 것만을 사역이라고 생각할지 모릅니다. 그러나 예수님은 유대보다도 갈릴리에서 소수의 사람을 대상으로 은밀하게 기적 사역을 하고 계셨습니다. 그분의 때는 사람들의 때와 달랐고, 그분의 방법은 사람들의 방법과 달랐습니다. 본문 6절의 의미가 그것입니다.

> "예수께서 이르시되 내 때는 아직 이르지 아니하였거니와 너희 때는 늘 준비되어 있느니라"(요 7:6).

그러나 이 말씀이, 그분이 다가오는 역사적 상황에서 도피하겠다는 선언은 아니었습니다. 그것은 이어지는 10절의 말씀으로 명확해집니다.

> "그 형제들이 명절에 올라간 후에 자기도 올라가시되 나타내지 않고 은밀히 가시니라"(요 7:10).

결정적인 시기가 오기 전까지, 예수님은 은밀히 당신의 사역을 준비하고자 하신 것입니다.

우리는 모두 역사의 무대에서 각광받는 삶을 선망할지 모릅니다. 그러나 정말 보이지 않는 곳에서 내공을 쌓으며 자신의 일을 은밀하고 성실하게 준비하는 사람은 많지 않습니다. 중요한 것은, 충분한 준비를 통해서 결정적인 때에 하나님의 뜻, 곧 사명을 성취하고 세상을 떠나는 것입니다. 예수님의 생애를 주목해 보십시오. 30년간의 사적인 준비의 시간, 3년간의 공생애, 특히 마지막 십자가를 지시기 전후로 예루살렘에서 보내신 열흘간의 사역이 있었습니다. 그리고 마침내 그분이 십자가에서 남기신 마지막 말씀은 "다 이루었다"(요 19:30)였습니다. 인간적으로 볼 때는 너무 짧은 시간(33년)을 사셨지만, 그분에게는 사명을 성취하기에 충분한 시간이었습니다.

당신은 마틴 루터 킹(Martin Luther King)이라는 이름을 기억할 것입니다. 그는 미국의 수도 워싱턴에서 열린 인권을 위한 백만인 평화 행진에서 "나에게는 꿈이 있습니다"(I have a dream)라는 역사적인 설교를 남긴 인물입니다. 그는 흑인으로서 평생 인종 차별의 편견과 맞서 싸운 사람이었습니다. 그러나 그는 불과 39세에 총탄을 맞고 쓰러졌습니다. 그의 장례식에서 조사를 하던 한 사람은 "신은 그에게 너무 짧은 시간을 주셨다"라고 말했습니다. 하지만 또 다른 조사를 담당한 윌리엄 페리어(William pereira)는 이런 명조사를 남겼습니다.

> 그렇습니다. 마틴이 살아간 39년은 정말 짧은 시간이었습니다. 자신의 사역의 결실을 보기에도 짧은 시간이었고, 자식들이 학교 공부 마치는 것을 보기에도 짧은 시간이었고, 자식의 자식들, 손자들의 재롱을 볼 수도 없었던 너무 짧은 시간이었습니다. 그러나 그가 산 39년은 자신을 위협하고 폭탄을 던지는 이들을 위해 기도하기에 충분히 긴 시간이었고, 그 39년은 정의와 사랑을 알지 못하는 이웃들을 깨우치기에 충분히 긴 시간이었고, 그 39년은 수백만의 군중들 앞에서 수십 번의 명연설을 남기기에 충분히 긴 시간이었고, 그 39년은 인류에게 자유의 소중한 가치를 일깨워 노벨상을 받게 하기에 충분히 긴 시간이었고, 그 39년은 그로 하여금 비전의 정상에 올라 인류 평화의 꿈을 꾸게 하기에 충분히 긴 시간이었습니다.

중요한 것은 오래 사는 것이 아니라, 하나님의 뜻을 이루고, 하나님의 때에 떠나는 것입니다. 당신의 오늘의 시간은 어떻게 사용

되고 있습니까? 그분의 뜻을 이루는 '나의 시간'(my time)을 살고 있
는 것은 아닙니까?

"명절 끝날 곧 큰 날에 예수께서 서서 외쳐 이르시되 누구든지 목마르
거든 내게로 와서 마시라 나를 믿는 자는 성경에 이름과 같이 그 배에
서 생수의 강이 흘러나오리라 하시니 이는 그를 믿는 자들 이 받을 성
령을 가리켜 말씀하신 것이라 (예수께서 아직 영광을 받지 않으셨으므로 성령이 아
직 그들에게 계시지 아니하시더라)"(요 7:37-39).

19

생수의 강

그리스도만이 인생의 목마름을 해갈할
유일한 생수이시다

저는 성지 순례로 이스라엘을 20여 차례 이상 다녀왔습니다. 이스라엘을 방문하기에 가장 좋은 시기로 제가 선호하는 때는 9월이나 10월 초입니다. 주로 한국의 추석 전후에 방문하는데, 공교롭게도 이스라엘의 초막절과 겹치는 경우가 많습니다. 유대인들은 초막절을 '숙곳' 혹은 '수코트'(Sukkot)라고 부르는데, 이를 다시 번역하면 '장막들의 축제'(Feast of Tabernacles) 혹은 '초막들의 축제'(Festival of Booths)라 할 수 있습니다. 과거 이스라엘 백성이 광야 생활을 할 때 초막을 짓고 농사를 지어 수확물을 거두던 시절의 은혜를 기억하며 지키는 감사와 기쁨의 절기입니다. 그래서 이 시기에 이스라엘을 방문하면, 집 옆 공터에(심지어 호텔 옆에도) '수카'(sukkah, 단수) 혹은

225

'숙곳'(Sukkot, 복수)이라 불리는 텐트(나뭇가지나 잎으로 지붕을 엮어 하늘의 별이 보이게 함)를 치고 한 주간 서로의 천막을 방문하며 함께 말씀과 음식을 나누는 즐거운 시간을 보냅니다.

성경에 '숙곳'이라는 단어가 처음 등장하는 곳은 창세기 33장 17절입니다.

> "야곱은 숙곳에 이르러 자기를 위하여 집을 짓고 그의 가축을 위하여 우릿간을 지었으므로 그 땅 이름을 숙곳이라 부르더라."

과거 예루살렘 성전이 있었을 때, 초막절 절기의 절정은 제사장들이 실로암 못에서 물을 길어 와 성전 제단에 붓는 의식이었습니다. 이 절기에 예루살렘에 모인 수많은 순례자가 종려나무 가지를 흔들고 시편을 낭송하며 찬양하는 중에, 제사장 일행이 성전에 도착합니다. 제사장들은 제단 주변을 일곱 번 돌고 나서, 물주전자들을 하늘을 향해 높이 쳐듭니다. 그리고 나팔 소리와 함께 물이 제단에 부어지면, 사람들은 환호성을 지르며 기쁨의 절정에 도달하게 됩니다. 이 의식은 이사야 12장 3절의 예언의 성취이기도 합니다.

> "그러므로 너희가 기쁨으로 구원의 우물들에서 물을 길으리로다."

이런 배경을 기억하고 본문 37-38절의 말씀을 보십시오.

"명절 끝날 곧 큰 날에 예수께서 서서 외쳐 이르시되 누구든지 목마르거든 내게로 와서 마시라 나를 믿는 자는 성경에 이름과 같이 그 배에서 생수의 강이 흘러나오리라"(요 7:37-38).

여기 목마른 인생들을 향한 진정한 복음의 초대가 주어진 것입니다. 가물었던 땅에 생수의 강이 흐르고, 그 강에서 헤엄치는 사람들의 환희를 그려 보십시오. 여기 목마른 인류가 생수의 강에서 해갈하는 기쁨의 초대가 있습니다. 이 생수의 강에서 해갈하는 비밀은 무엇입니까?

영적 목마름을 인정하라

요한복음에서 예수님이 사람들에게 목마름에 대해 말씀하시게 된 동기는 사마리아 여인 때문이었습니다. 남편을 다섯이나 바꾸었음에도 여전히 채워지지 않았던 그 여인의 목마름은 단순한 애정 결핍이 아니었습니다. 그것은 영적 목마름이었습니다.

우리 시대에 이런 목마름으로 잘 알려진 전 세계적인 여인 둘을 꼽자면, 아마도 미모의 배우 마릴린 먼로(Marilyn Monroe)와 영국의 다이애나(Diana Frances Spencer)비가 아닐까 싶습니다. 이 두 여인의 공통점은 무엇이었을까요? 그들은 진실한 사랑을 찾아 헤맸으나, 끝내 참된 사랑을 만나지 못했다는 것입니다.

먼로는 16세에 항공 정비사와 첫 결혼을 했습니다. 이 결혼은 4년 만에 끝났고, 두 번째로는 전설적인 야구 선수와 결혼했으나 결혼 274일 만에 파경에 이르렀습니다. 이후 극작가 아서 밀러(Arthur Miller)와 세 번째 결혼을 했으나, 이 역시 오래가지 못했습니다. 그 후 그녀는 케네디 대통령 형제들을 위시한 수많은 유명 인사들과 스캔들을 일으키며 수많은 남성의 가슴을 설레게 했으나, 그녀의 목마름을 채워 줄 사랑은 만나지 못했습니다.

다이애나비는 찰스(Charles) 왕세자와의 세기의 결혼식으로 세계의 이목을 끌었지만 남편의 마음은 카밀라(Camilla)라는 다른 여인에게 향해 있었습니다. 그녀는 남편에 대한 복수로 승마 선생, 경호원들과 염문을 만들었고, 이혼 후에는 이집트 출신의 백만장자 도디 알파예드(Dodi Al-Fayed), 파키스탄 출신의 심장외과 의사 하스낫 칸(Hasnat Khan) 등과 연인 관계를 맺었지만, 그녀 역시 참된 사랑을 만나지 못했습니다.

그런데 이 두 여인의 또 하나의 공통점은, 둘 다 영적인 목마름을 갖고 있었다는 것입니다. 한때 마릴린 먼로는 자신이 출연하고 싶은 영화로 도스토옙스키(Dostoevskii)의 〈죄와 벌〉을 이야기해 주변을 놀라게 했다고 합니다. 이는 자신의 죄 문제를 해결하고 싶은 영적 갈망 때문이었습니다. 다이애나비 역시 한때 그녀가 세상을 떠난 지 일주일 만에 세상과 작별한 마더 테레사(Teresa)와 봉사 활동을 하며 가까웠는데, 당시 다이애나는 마더 테레사에게 신앙에 대한 여러 질문을 던진 것으로 알려져 있습니다. 이처럼 두 여인 모두 영적으로 갈급했던 인생이었습니다.

두 여인에게는 또 하나의 공통점이 있는데, 그것은 모두 비극적인 죽음을 맞이했다는 점입니다. 영국의 가수 엘튼 존(Elton John)은 다이애나비의 장례식에서, 본래 마릴린 먼로를 위해 만들었던 노래를 다이애나를 위해 불러 세계적인 화제가 되었습니다. 그 노래의 제목은 〈바람 속의 촛불〉(Candle in the Wind)입니다. 원래 그가 마릴린 먼로를 위해 쓴 가사에는 이런 내용이 담겨 있었습니다.

> 내가 보기에 당신은
>
> (And it seems to me you lived your life)
>
> 바람 속의 촛불처럼 살았소
>
> (Like a candle in the wind)
>
> 비가 내리면 그 누구를
>
> (Never knowing who to cling to)
>
> 의지할지 모르는 채로
>
> (When the rain set in)

이 두 여인이 일찍 알았어야 했던 것은, 그들의 목마름이 영적인 것이었다는 사실입니다. 그리고 그 목마름은 예수님만이 채우실 수 있다는 것입니다. 동일하게 목말라 방황하던 사마리아 여인에게 예수님이 하신 말씀이 무엇입니까?

"내가 주는 물을 마시는 자는 영원히 목마르지 아니하리니 내가 주
는 물은 그 속에서 영생하도록 솟아나는 샘물이 되리라"(요 4:14).

여기에 우리의 목마름을 해갈하는 두 번째 비밀이 있습니다.

예수께로 와서 마시라

예수님은 "내게로 와서 마시라"(요 7:37)라고 말씀하십니다. 그분이
누구이기에 이렇게 초대할 수 있는 것일까요? 그분은 이미 이렇게
말씀하신 바 있었습니다.

"예수께서 이르시되 내가 너희와 함께 조금 더 있다가 나를 보내
신 이에게로 돌아가겠노라"(요 7:33).

그분은 당신이 하나님으로부터 보냄을 받은 메시아, 구주임을 선
언하신 것입니다. 이제 그분에게로 오라는 것입니다. 믿음으로 오
라는 것입니다. 그리고 그분이 준비한 생수의 강에서 목마름을 해
갈하라는 것입니다. 아마 이 말씀은 초막절 명절 마지막 날, 제사장
들이 실로암 못에서 길어 온 물을 제단에 부은 직후에 선포되었을
것입니다. 메말랐던 제단에 풍성한 물이 부어지듯, 예수님께 나아
오는 이들에게도 생수의 강이 넘치리라는 약속입니다. 그분은 일

찍이 이스라엘 백성이 메마른 광야를 행진할 때에도 광야의 반석을 깨어 물이 솟게 하신 분이셨습니다. 시편 기자는 이 경험을 다음과 같이 묘사합니다.

"반석을 여신즉 물이 흘러나와 마른 땅에 강같이 흘렀으니"(시 105:41).

지금 동일한 주님, 곧 광야에서 인도하시고, 반석을 여시며, 생수의 강을 예비하신 분이 우리를 초대하십니다.

"누구든지 목마르거든 내게로 와서 마시라"(요 7:37).

C. S. 루이스의 어린이들을 위한 유명한 소설《나니아 연대기》중 '은 의자'(The Silver Chair)에 보면, 주인공 소녀 질이 목말라하다가 숲속 강가에서 사자를 만나는 장면이 나옵니다.《나니아 연대기》에서 사자 아슬란은 구세주이신 예수님의 상징으로 등장합니다.

사자가 질에게 묻습니다.

"너, 목마르지 않니?"

그러자 질은 "목말라 죽을 지경입니다"라고 대답합니다. 사자는 "그럼 마시라" 하며 초대합니다. 그러자 질은 다시 묻습니다.

"그럼 제가 물을 마시는 동안 비켜 주시겠습니까?"

사자는 조용히 으르렁거립니다. 뜻을 알 수 없던 질은 다시 묻습니다.

"제가 물을 마시는 동안 저를 해치지 않겠다고 약속해 주세요."

대답이 없는 사자에게 질은 또다시 묻습니다.

"당신은 소녀를 잡아먹나요?"

그러자 사자는 "나는 소녀도, 소년도, 여인도, 남자도, 왕도, 황제도, 도시도, 왕국들도 먹을 수 있다"고 말합니다. 질은 "그럼 저는 이 시냇물을 마실 수 없어요"라고 말합니다. 그러자 사자는 "그럼 너는 목말라 죽을 텐데"라고 말합니다. 그러자 질이 말합니다.

"그러면 저는 다른 시냇물을 찾아보겠어요."

이때 사자는 이렇게 말합니다.

"(네 목마름을 해갈할) 다른 시내는 없어."

소녀 질은 마침내 죽음을 각오하고 시냇가로 내려가 무릎을 꿇고, 손으로 시냇물을 움켜 들어 마십니다. 그 물은 일찍이 맛본 적이 없었던, 속이 시원하고 모든 목마름을 사라지게 하는 상쾌한 물이었습니다.

루이스는 지금 무슨 메시지를 던지고 있습니까? 예수님에 대한 모든 선입견을 내려놓고, 믿음으로 그분께 나아와 그분을 신뢰하라는 것입니다. 그리고 이제 그분이 주시는 구원의 생수를 받아 마시라는 것입니다. 그분을 떠나서는 목마름을 해갈할 수 없다는 것입니다. 다른 생수의 강은 없다는 것입니다. 그러므로 그리스도이신 그분께로 오라는 것입니다. 그분의 강에 와서 생수를 마시라는 것입니다.

성령 충만을 사모하라

본문 38절의 약속의 말씀을 다시 한번 보십시오.

"나를 믿는 자는 성경에 이름과 같이 그 배에서 생수의 강이 흘러 나오리라"(요 7:38).

이 약속을 주신 의미는 무엇입니까? 다음 절에서 주님이 친히 그 의미를 해석해 주십니다.

"이는 그를 믿는 자들이 받을 성령을 가리켜 말씀하신 것이라 [예수께서 아직 영광을 받지 않으셨으므로 성령이 아직 그들에게 계시지 아니하시더라]"(요 7:39).

예수님과의 만남이 우리를 또 하나의 위대한 만남으로 인도하신다는 약속입니다. 그것은 바로 성령과의 만남입니다. 그분은 이 약속의 진실을 요한복음 14장 16-17절에서 구체적으로 말씀하십니다.

"내가 아버지께 구하겠으니 그가 또 다른 보혜사를 너희에게 주사 영원토록 너희와 함께 있게 하리니 그는 진리의 영이라 세상은 능히 그를 받지 못하나니 이는 그를 보지도 못하고 알지도 못함이라 그러나 너희는 그를 아나니 그는 너희와 함께 거하심이요 또 너희 속에 계시겠음이라.”

주님과 함께 살아간다는 것은 얼마나 놀라운 환희의 삶입니까? 그러나 예수님이 이 땅을 떠나실 때, 그분은 우리로 하여금 여전히 그분의 임재를 경험하며 살아가도록 보혜사 성령을 보내겠다고 약속하셨습니다. 그 성령은 우리와 함께(with you)하실 뿐 아니라, 우리 안에(in you) 거하실 분입니다. 곧, 우리 존재의 깊은 곳에 거하며 우리를 인도하시고, 우리의 삶을 충만하게 하실 성령의 임재를 약속하신 것입니다. 우리가 예수님을 구주와 주님으로 영접할 때 약속된 이 놀라운 언약, 그것은 바로 성령의 임재와 충만입니다. 본문 38절에서 ‘배에서 생수의 강이 흘러나리라’는 말씀이 바로 이 언약의 실체인 것입니다. ‘배’는 만족을 모르는 욕망의 근원, 곧 우리 존재의 가장 깊은 곳을 상징합니다. 그 배에서 생수가 터져 나오고, 생수의 강이 넘쳐흐르는 축복, 참으로 사모할 만하지 않습니까?

에스겔 47장에서 우리는 회복된 성전의 영광이 묘사된 장엄한 광경을 보게 됩니다. 성전 문지방 밑에서 흘러나온 물은 이 환상을 체험하는 사람의 발목을 적시고, 나중에는 무릎까지, 이어서 허리까지 차오르더니, 마침내 온몸을 잠기게 하여 그는 그 강에서 헤엄치게 됩니다. 성전에서 흘러나온 이 생명의 강수는 주변의 모든 이웃과 열방으로 흘러가 온 세상을 살리는 생명의 강이 됩니다. 이것이 바로 성령을 통해 온 세상에 나누어지는 복음의 부흥이요, 축복입니다. 이런 축복이 사모되지 않습니까? 그래서 주님은 사도 행전 1장 8절에서 "오직 성령이 너희에게 임하시면 너희가 권능을 받고 예루살렘과 온 유대와 사마리아와 땅끝까지 이르러 내 증인이 되리라"라고 약속하신 것입니다. 이 모든 가슴 벅찬 영광의 체험은 우리가 예수님을 영접하고 성령의 은혜를 사모할 때 시작되는 것입니다.

복음성가 〈내 주의 은혜 강가로〉는 이런 우리의 갈망을 잘 표현하고 있습니다.

내 주의 은혜 강가로 저 십자가의 강가로
내 주의 사랑 있는 곳 내 주의 강가로
갈한 나의 영혼을 생수로 가득 채우소서

이 생수의 강에 흠뻑 젖는 은혜가 임하기를 축복합니다.

"서기관들과 바리새인들이 음행 중에 잡힌 여자를 끌고 와서 가운데 세우고 예수께 말하되 선생이여 이 여자가 간음하다가 현장에서 잡혔나이다 모세는 율법에 이러한 여자를 돌로 치라 명하였거니와 선생은 어떻게 말하겠나이까 그들이 이렇게 말함은 고발할 조건을 얻고자 하여 예수를 시험함이러라 예수께서 몸을 굽히사 손가락으로 땅에 쓰시니 그들이 묻기를 마지아니하는지라 이에 일어나 이르시되 너희 중에 죄 없는 자가 먼저 돌로 치라 하시고 다시 몸을 굽혀 손가락으로 땅에 쓰시니 그들이 이 말씀을 듣고 양심에 가책을 느껴 어른으로 시작하여 젊은이까지 하나씩 하나씩 나가고 오직 예수와 그 가운데 섰는 여자만 남았더라 예수께서 일어나사 여자 외에 아무도 없는 것을 보시고 이르시되 여자여 너를 고발하던 그들이 어디 있느냐 너를 정죄한 자가 없느냐 대답하되 주여 없나이다 예수께서 이르시되 나도 너를 정죄하지 아니하노니 가서 다시는 죄를 범하지 말라 하시니라] 예수께서 또 말씀하여 이르시되 나는 세상의 빛이니 나를 따르는 자는 어둠에 다니지 아니하고 생명의 빛을 얻으리라"(요 8:3-12).

20

한 여자의
죽음과 부활

참 빛으로 오신 주님 안에 거할 때
이전과 다른 새로운 삶을 살게 된다

우리가 좋아하는 시편 23편 4절에서 시편 기자는 "내가 사망의 음침한 골짜기로 다닐지라도"라고 고백하고 있습니다. 이를 NIV 성경에서는 "Even though I walk through the valley of the shadow of death"라고 번역하는데, 역자들은 '사망의 음침한 골짜기'를 '사망의 그림자와 같은 골짜기'로 표현했습니다. 실제로 인생을 살다 보면, 사망 그 자체는 아니더라도 사망의 그림자와 같은 사건들을 만나게 됩니다. 죽을 뻔한 순간, 혹은 죽었어야 할 순간, 차라리 죽고 싶었던 그런 순간들을 지나게 되는 것입니다.

우리 시대에 전 세계적으로 알려진 수많은 복음성가를 만든 대표적인 음악인이 있다면, 윌리엄 제임스 게이더(William James Gaither)

와 글로리아 게이더(Gloria Gaither) 부부라고 할 수 있을 것입니다. 이 부부는 700여 곡이 넘는 찬양을 만들었고, 60개 이상의 앨범을 제작하여 판매했습니다. 하지만 이 부부의 인생에서 가장 힘들었던 시기는 1960년대였다고 합니다. 당시 미국은 베트남전쟁으로 국론이 분열되어 있었고, 교회 안에서는 소위 '하나님의 죽음'이라는 신학이 유행하며 사람들의 신앙을 흔들고 있었습니다. 인종 간의 갈등, 마약의 급속한 확산으로 미국 사회는 희망을 잃고 있었습니다. 이러한 상황 속에서 1969년, 남편 빌은 전염성 단핵구증(monoculeosis)이라는 병을 앓고 있었고, 사실이 아닌 거짓된 소문에 휩싸여 마음의 충격을 받고 있었습니다. 심지어 윌리엄의 여동생마저 이혼의 아픔을 겪고 있었고, 아내 글로리아는 원치 않았던 세 번째 아이를 임신하게 되었습니다. 그녀는 삶에 대한 모든 의욕을 잃었고, 차라리 죽고 싶다는 생각을 하게 되었습니다.

그런데 그 추웠던 겨울 아침, 예상치 못했던 구일렌(Guillen)이라는 친구가 찾아왔습니다. 그녀는 기도 중에 글로리아가 사탄의 공격을 받고 있다는 마음이 들어 찾아왔다며, 함께 기도할 것을 제안했습니다. 구일렌이 글로리아에게 손을 얹고 기도하는 동안, 글로리아의 마음을 짓누르던 절망감이 떠나가고, 잃어버렸던 기쁨이 일시에 회복되었습니다. 그 무렵, 이들의 작업실을 방문하러 온 아버지가 사무실로 들어오지 않고 밖에서 두 사람을 불렀습니다. 나가 보니, 갈라진 콘크리트 주차장 바닥 틈새를 뚫고 겨울을 이겨 낸 예쁜 꽃들이 피어 있었습니다. 이 장면은 어두워졌던 이 부부의 마음을 흔드는, 하나님의 부활의 능력을 실감하게 하는 사인이 되었습니다.

머지않아, 하나님이 주신 생명을 선물로 받은 이 부부는 찬양시를 써 내려가기 시작했습니다. 그 찬양이 바로 〈Because He lives〉입니다. 우리나라에서는 이 찬양의 제목을 〈하나님의 독생자〉(새찬송가 171장)라고 옮겼습니다. 이 찬양의 첫 문단 원문 가사는 이렇습니다.

> 하나님이 아들을 보내셨네 그 이름 예수
> 그는 사랑하고 치유하고 용서하고자 오셨네
> 죽고 다시 사심으로 살아 계신 주
> 그의 빈 무덤은 나의 구주 다시 사셨음을 증거하네

이 찬양과 함께 윌리엄의 가정은 문자 그대로 사망으로부터 부활을 경험하게 되었습니다.

이제 본문이 소개하는 또 한 명의 여인, 죽음과 부활을 경험한 한 사람을 소개하고자 합니다.

그녀가 경험한 죽음의 의미를 묵상하라

이 여자는 당시 율법에 따르면 마땅히 돌에 맞아 죽어야 할 사람이었습니다. 본문은 이렇게 시작됩니다.

"서기관들과 바리새인들이 음행 중에 잡힌 여자를 끌고 와서 가운 데 세우고 예수께 말하되 선생이여 이 여자가 간음하다가 현장에 서 잡혔나이다 모세는 율법에 이러한 여자를 돌로 치라 명하였거 니와 선생은 어떻게 말하겠나이까"(요 8:3-5).

실제로 구약의 율법을 기록한 레위기 20장 10절을 보십시오.

"누구든지 남의 아내와 간음하는 자 곧 그의 이웃의 아내와 간음 하는 자는 그 간부와 음부를 반드시 죽일지니라."

또 신명기 22장 22절을 보십시오.

"어떤 남자가 유부녀와 동침한 것이 드러나거든 그 동침한 남자와 그 여자를 둘 다 죽여 이스라엘 중에 악을 제할지니라."

구약의 율법에 의하면, 이 여인에게는 죽음이 정답이었습니다. 그것이 율법에 의해 하나님의 공의를 실현하는 길이었습니다. 그 리고 예수님도 "맞다. 돌을 들어 이 여자를 치라"라고 말씀하셨어 야 했습니다. 이미 이 여자는 죽은 목숨이었습니다.

그런데 예수님에게는 딜레마가 있었습니다. 그 딜레마가 무엇입 니까? 그분은 율법 아래 있는 자들을 속량하러 오신 분이었습니다.

"때가 차매 하나님이 그 아들을 보내사 여자에게서 나게 하시고 율법 아래에 나게 하신 것은 율법 아래에 있는 자들을 속량하시고 우리로 아들의 명분을 얻게 하려 하심이라"(갈 4:4-5).

문제는 그분의 미션이었습니다. 그분은 율법에 의해 정죄받고 마땅히 죽어야 할 죄인들을 용서하고, 그들에게 하나님의 아들이라는 명분을 회복시켜 주기 위해 오신 분이었습니다. 그래서 어떻게 하셨습니까? 갈라디아서 3장 13절에서 우리는 그 대답을 발견할 수 있습니다.

"그리스도께서 우리를 위하여 저주를 받은바 되사 율법의 저주에서 우리를 속량하셨으니 기록된바 나무에 달린 자마다 저주 아래에 있는 자라 하였음이라."

그분은 율법의 공의를 실현하고자, 그녀가 받아야 할 저주를 대신 짊어지기로 작정하셨습니다. 그것이 바로 십자가 사건입니다. 그렇기에 본문에 나타난 예수님의 용서는 결코 값싼 용서가 아닙니다. 본문 11절의 "나도 너를 정죄하지 아니하노니"라는 선언이 가능하기 위해서는, 그분이 이 여자의 죄와 저주를 대신 짊어지셔야 했습니다. 그러므로 그분이 십자가에서 죽으셨을 때, 이 여자도 거기서 죽은 것입니다. 예수 안에서, 예수와 함께 죽은 것입니다. 그래서 기독교 신학은 예수의 죽음을 '대속의 죽음'이라고 부르는 것입니다.

예수님이 이 땅에 오신 목적이 무엇인지를 마가복음 10장 45절의 말씀으로 확인해 보십시오.

"인자가 온 것은 섬김을 받으려 함이 아니라 도리어 섬기려 하고 자기 목숨을 많은 사람의 대속물로 주려 함이니라."

예수님의 십자가 죽으심은 바로 이 여인 그리고 우리 모두를 위한 대속의 제물이 되기 위함이었던 것입니다.

그녀가 경험한 부활의 의미를 묵상하라

본문에 등장하는 간음하다 잡혀 온 여자는 죽지 않고 살았습니다. 실상은 죽음에서 부활한 셈입니다. 그것이 어떻게 가능했습니까? 그녀가 부활했다는 것은 단지 죽음만 간신히 면했다는 의미가 아닙니다. 죽음만 간신히 면하는 것은 부활의 참된 의미가 아닙니다. 우리는 본문 11절에서, 예수님이 이 여자에게 하신 마지막 선언을 통해 참된 부활의 의미를 발견하게 됩니다.

"가서 다시는 죄를 범하지 말라"(요 8:11).

이것은, 이 여자가 가서 다시는 죄를 범하지 않고 새로운 삶을 살

아가기 위한 부활의 선언이었습니다. 이것을 바울 사도의 말씀으로
설명해 보자면, 우선 로마서 4장 25절을 보십시오.

"예수는 우리가 범죄한 것 때문에 내줌이 되고 또한 우리를 의롭
다 하시기 위하여 살아나셨느니라."

그분의 죽음은 우리의 범죄를 해결하기 위해, 우리 죄를 대신 짊
어지고 죗값을 대신 지불함으로써 하나님의 공의를 만족시키기 위
한 죽음이었습니다. 그러나 그분의 부활은 우리가 단지 죄만 용서
받은 것이 아닌, 의롭다 함을 선언 받고 하나님의 의 가운데서 살아
가도록 하기 위한 부활이었던 것입니다.

"그러므로 우리가 그의 죽으심과 합하여 세례[침례]를 받음으로 그
와 함께 장사되었나니 이는 아버지의 영광으로 말미암아 그리스
도를 죽은 자 가운데서 살리심과 같이 우리로 또한 새 생명 가운
데서 행하게 하려 함이라"(롬 6:4).

여기 예수님이 우리를 위해 부활하신 더 중요한 이유가 선포됩
니다. 우리로 새 생명 가운데서 행하게 하려 함이라는 것입니다.
사형수가 사면을 받았다면, 그것은 놀라운 은총입니다. 그러나
용서받고 출소한 사형수에게는 더 중요한 질문이 기다리고 있습니
다. 그것은 '이제부터 어떻게 살 것인가?'라는 물음입니다. 구세주

이신 예수님은 죽어 마땅한 우리를 사면하셨을 뿐 아니라, 우리가 새로운 가치관을 가지고 새로운 목적을 향해 살아가는 것을 보고 싶어 하십니다. 그래서 용서뿐 아니라, 용서받은 우리에게 새 생명을 선물로 주신 것입니다. 우리는 이제 그 새 생명 안에서 살아가야 합니다. 그러므로 예수님이 이 여자를 향해 "가서 다시는 죄를 범하지 말라"(요 8:11)라고 말씀하신 것은, 그녀가 새로운 삶을 살도록 보증하기 위해 꼭 필요한 선언이었던 것입니다. 이것이 바로 예수님의 부활이 필요했던 이유입니다. 그리고 예수님은 당신을 구주와 주님으로 믿고 나아오는 자들에게 이렇게 약속하십니다.

"그런즉 누구든지 그리스도 안에 있으면 새로운 피조물이라 이전 것은 지나갔으니 보라 새것이 되었도다"(고후 5:17).

이제 이 여자는, 이 새로운 삶의 주인 되신 그리스도를 따르며 새로운 삶을 살아가야 했습니다. 저는 그런 의미에서, 간음하다가 잡혀 온 이 여자의 새 삶의 출발점이 된 말씀이 바로 요한복음 8장 12절이라고 생각합니다.

"예수께서 또 말씀하여 이르시되 나는 세상의 빛이니 나를 따르는 자는 어둠에 다니지 아니하고 생명의 빛을 얻으리라."

그렇습니다. 이제 우리는 빛 되신 주님만 따르면 됩니다. 그러면 우리는 빛 가운데 행하게 될 것이기 때문입니다. 참빛 되신 하나님께서, 이제 우리를 새로운 빛으로 인도하고자 하십니다. 그분만 바라보십시오. 그분만 따르십시오. 그것이 바로 주 안에서의 새로운 삶입니다.

그런 의미에서, 간음하다가 잡혀 온 이 여자는 곧 우리 모두의 모습입니다. 우리는 결코 이 여자를 정죄할 수 없습니다. 본문 7절에서 예수님은 "너희 중에 죄 없는 자가 먼저 돌로 치라"라고 하셨고, 그 말씀에 현장에 있던 사람들은 어른으로 시작해서 젊은이까지 모두 그 자리를 떠났다고 성경은 증언합니다. 모든 사람은 죄인입니다. 따라서 모든 사람에게 죽음은 피할 수 없는 존재의 필연입니다. "죄의 삯은 사망"(롬 6:23)이기 때문입니다. 그러나 우리 죄를 대신 짊어지고 십자가에서 우리의 죽음을 대신하신 이가 이제 말씀하십니다.

"나도 너를 정죄하지 아니하노니"(요 8:11a).

용서의 선언입니다. 그러나 주님은 거기서 멈추지 않으셨습니다. 이어서 이렇게 말씀하십니다.

"가서 다시는 죄를 범하지 말라"(요 8:11b).

우리는 아마 이렇게 대답할지 모릅니다.

"알아요. 죄짓지 말고 살아야 하는 것. 그런데 마음대로 안 되는 걸요. 저희들의 연약함을 주님도 아시잖아요."

이때 주님은 뭐라고 말씀하실까요?

"나도 알아. 그래서 다시 말한다. 너희 자신에게 시선을 두지 말고 나를 봐. 나를 따라와. 내가 빛이니, 나만 따라오면 너희는 이 빛 가운데서 행하게 될 거야."

앞서 소개한 윌리엄과 글로리아 부부는 어두운 겨울의 끝자락에서 다시 주님을 만났고, 그들의 사무실을 방문한 부친이 깨어진 콘크리트 틈 사이로 꽃들이 고개 내미는 모습을 보고 "저 꽃들을 보라"며 소리친 말을 통해 주님의 부활의 능력을 다시 깨우치게 되었습니다. 개혁자 루터의 말처럼, 하나님은 소생하는 풀잎마다, 꽃잎마다 부활의 약속을 새겨 놓으셨음을 깨닫게 된 것입니다. 〈하나님의 독생자〉의 가사는 이렇게 탄생했습니다.

그가 살아 계시기에 나는 나의 미래를 다시 만날 수 있네

(Because He lives, I can face tomorrow)

그가 살아 계시기에 모든 두렴 사라지고

(Because He lives, all fear is gone)

그가 나의 미래를 붙들고 계심을 알기에

(Because I know He holds the future)

삶은 살아갈 가치가 있는 것

(And Life is worth the living)

246

윌리엄과 글로리아 부부는 그해, 아름다운 새 아기, 새 생명을 선물로 받고 이 노래를 완성하게 되었다고 합니다. 영어 원문 가사에는 이런 내용이 포함되어 있습니다.

새 아기를 품에 안게 하시는 은혜
그가 가져온 기쁨과 자랑스러움
마음 깊이 임하는 확신
그가 살아 계시기에 이 아이도
불확실한 미래를 만날 수 있네

그리고 이 부부는 독생자를 보내 주신 하나님의 사랑을 더 깊이 만날 수 있었다고 고백합니다.

(1절)
주 하나님 독생자 예수 날 위하여 오시었네
내 모든 죄 다 사하시고 죽음에서 부활하신 나의 구세주

(후렴)
살아 계신 주 나의 참된 소망 걱정 근심 전혀 없네
사랑의 주 내 갈 길 인도하니 내 모든 삶의 기쁨 늘 충만하네

이 부활의 은총이 함께하는 매일의 삶이기를 소망하십시오.

"그러므로 예수께서 자기를 믿은 유대인들에게 이르시되 너희가 내 말에 거하면 참으로 내 제자가 되고 진리를 알지니 진리가 너희를 자유롭게 하리라 그들이 대답하되 우리가 아브라함의 자손이라 남의 종이 된 적이 없거늘 어찌하여 우리가 자유롭게 되리라 하느냐 예수께서 대답하시되 진실로 진실로 너희에게 이르노니 죄를 범하는 자마다 죄의 종이라 종은 영원히 집에 거하지 못하되 아들은 영원히 거하나니 그러므로 아들이 너희를 자유롭게 하면 너희가 참으로 자유로우리라"(요 8:31-36).

21

자유롭게
되리라

예수님만이 우리를 죄에서 건져 내고,
하나님의 자녀로 회복시켜 주신다

한국인에게 4월은 4. 19혁명이 있었던 달로, 진정한 자유를 찾아 항거했던 이 땅의 젊은이들의 뜨거운 피가 흘려진 추억의 달이기도 합니다. 그래서인지 4월이 되면 떠오르는 한 유명한 시구(詩句)가 있습니다. 바로 영국의 유명한 계관 시인 T. S. 엘리엇(Tomas Stearns Eliot)의 시 〈황무지〉에 나오는 한 대목입니다.

사월은 가장 잔인한 달
죽은 땅에서 라일락을 키워 내고
추억과 욕정을 뒤섞고
잠든 뿌리를 봄비로 깨운다.

봄을 따뜻한 계절로 맞이할 수 없었던 시인의 실존적 고뇌가 깃들어 있는 시입니다. 오늘을 살아가는 우리 또한 어쩌면 이런 심정으로 하루하루를 살아가고 있는 것은 아닐까요?

과연 참된 자유를 누리는 삶은 가능한 것일까요? 옛날 우리 선배들이 자유를 찾아 봉기하고 피를 흘린 그 대가를, 오늘의 삶에서 제대로 보상받으며 살고 있다고 말할 수 있을까요? 냉혹한 국제 정치의 변화 속에서 제국 정상들의 한마디 한마디에 가슴을 쓸어내리며 살아가야 하고, 북쪽 사람들이 미사일을 쏘아 올리고 핵실험을 한다는 뉴스에 일희일비하는 우리에게, 정말 자유의 삶은 약속된 현실이라고 말할 수 있을까요?

예수님 당시 유대인들의 현실도 이와 비슷했을 것이라 생각합니다. 그들은 역사를 통해 끊임없이 자유를 위협받는 지정학적 위치에 놓여 있었습니다. 이집트, 바벨론, 페르시아, 마케도니아, 시리아 그리고 본문이 기록될 당시에는 로마의 정치적 지배를 받아 왔습니다. 그러나 어떤 경우에도 여호와 하나님을 예배하는 종교적 자유만은 잃지 않고 살아왔습니다. 그것이야말로 아브라함의 후손으로서 유대인들이 지닌 긍지요, 자부심이었습니다. 또한 지배자들은 대개 유대인들에게 종교적 자유를 허용하면서 더 큰 정치적 실리를 얻고자 했습니다. 예수님이 "진리가 너희를 자유롭게 하리라"(요 8:32)라고 하셨을 때 유대인들의 대답을 들어 보십시오.

"그들이 대답하되 우리가 아브라함의 자손이라 남의 종이 된 적이 없거늘 어찌하여 우리가 자유롭게 되리라 하느냐"(요 8:33).

이 대답을 들은 예수님은 비로소 인간을 본질적으로 자유롭게 하는 진리의 과정을 전달하십니다. 바로 여기에, 우리를 참된 자유에 이르게 하는 진리가 게시되고 있습니다.

진리 1: 인간은 본질상 죄의 노예

'노예'라는 단어를 좋아할 사람은 아마 없을 것입니다. 그것은 우리의 자존감을 스스로 거부하는 것처럼 느껴지기 때문입니다. 예수님 당시의 유대인들도 마찬가지였습니다. 때로는 외적의 침략을 받아 정치적 자유를 빼앗기기도 했지만, 여호와 하나님을 예배할 자유만큼은 결코 잃지 않았습니다. 그리고 궁극적으로 투쟁을 통해 외적에게서 자유를 되돌려 받는 역사를 살아왔습니다. 이것은 마치 우리 한민족의 역사와도 유사하지 않습니까? 우리 역시 역사를 통해 중국, 일본, 러시아 등의 지배를 일시적으로 경험했지만 결국 자유를 되찾았고, 그래서 우리는 늘 스스로를 자유로운 민족으로 여겨 왔습니다. 이러한 맥락 속에서 본문 33절의 말씀을 읽어 보십시오.

"그들이 대답하되 우리가 아브라함의 자손이라 남의 종이 된 적이 없거늘 어찌하여 우리가 자유롭게 되리라 하느냐"(요 8:33).

그러나 예수님은 우리의 진정한 자유를 위해 우리 실존의 본질을 알아야 한다고 말씀하십니다. 우리는 본질적으로 죄의 노예 된 존재라는 사실입니다. 이 영적 진리를 알지 못하고는 참된 영적 자유를 얻을 수 없다는 것입니다. 본문 34절을 다시 한번 보십시오.

정치적인 종이 되는 것도 결코 좋은 일은 아닙니다. 우리는 일제의 지배 아래서 그것을 실감 있게 경험했고, 기성세대가 공산주의에 대해 민감한 저항감을 갖는 것도, 비록 짧은 시간이었지만 공산주의의 지배를 경험해 보았기 때문입니다. 그러나 정치적인 종살이보다 훨씬 더 악하고 비참한 것은 죄의 종으로 살아가는 일입니다. 개혁자 칼빈은 우리가 죄의 종으로 살아가고 있다는 증거를 이렇게 말했습니다.

해야 할 것을 하지 못하고 하지 말아야 할 것을 하면서 끌려 다니는 존재, 이것이 바로 죄의 종이 된 타락한 죄인의 실존이다.

율법의 본질은 우리가 무엇을 해야 하고, 무엇을 하지 말아야 하는지를 보여 줍니다. 그런데 우리가 마땅히 해야 할 일을 하지 못했고, 하지 말아야 할 일을 행했다는 것은 곧 우리가 율법을 범한 죄인이라는 것을 드러냅니다. 그 결과 우리는 율법의 저주 아래, 하나님의 진노 아래 놓인 존재로서, 심판을 피할 수 없는 죄의 종이 된 것입니다. 우리는 모두 양심의 가책을 느끼며 내적인 자기모순, 자기 갈등 그리고 자기 연민 속에서 매일의 삶을 살아갑니다. 이것이 바로 죄의 노예 된 인간의 실상입니다.

바울 사도의 고백을 들어 보십시오.

"내가 원하는 바 선은 행하지 아니하고 도리어 원하지 아니하는 바 악을 행하는도다 만일 내가 원하지 아니하는 그것을 하면 이를 행하는 자는 내가 아니요 내 속에 거하는 죄니라 … 오호라 나는 곤고한 사람이로다 이 사망의 몸에서 누가 나를 건져 내랴"(롬 7:19-20, 24).

이 고백의 진리에 공감한다면, 우리는 이제 본질상 죄의 노예라는 사실을 인정할 준비가 된 것입니다.

진리 2: 그리스도만이 우리를 자유롭게 함

두 번째 진리는 무엇입니까? 예수 그리스도만이 우리를 자유롭게 하실 수 있다는 것입니다. 왜 그렇습니까? 우리가 스스로 죄의 문제를 해결하고 영적인 자유를 얻을 수 있었다면, 예수 그리스도는 이 땅에 오실 필요가 없었습니다. 우리가 우리 자신을 구원할 수 있다면, 우리에게 무슨 구원자가 필요하겠습니까? 그러나 인간 실존의 딜레마는, 우리의 어떤 선한 노력, 의지적 추구로도 죄에서 혹은 율법의 저주에서 해방되는 것이 불가능하다는 것입니다. 그런데 여기에 복음이 있습니다.

> "때가 차매 하나님이 그 아들을 보내사 여자에게서 나게 하시고 율법 아래에 나게 하신 것은 율법 아래에 있는 자들을 속량하시고 우리로 아들의 명분을 얻게 하려 하심이라"(갈 4:4-5).

이어지는 복음의 선언을 보십시오.

> "그러므로 네가 이후로는 종이 아니요 아들이니 아들이면 하나님으로 말미암아 유업을 받을 자니라"(갈 4:7).

종과 아들은 같은 집에서 살아갑니다. 비슷한 음식을 먹고, 비슷한 환경에서 지냅니다. 그러나 종과 아들의 본질적인 차이는 무엇입니까? 종에게는 없는 자유가 아들에게는 있다는 것입니다. 종은 언제든지 집에서 쫓겨날 수 있지만, 아들은 그 집에 영원히 거할 수 있습니다.

이 동일한 진리를 본문 35절에서 예수님이 말씀하고 계십니다.

> "종은 영원히 집에 거하지 못하되 아들은 영원히 거하나니"(요 8:35).

그래서 하나님의 아들이 오셨다는 것입니다. 우리를 죄의 종, 율법의 종 된 자리에서 구원하고 자유롭게 하며, 우리를 또한 하나님의 아들로 삼아 주고자 오셨다는 것입니다. 다시 본문 36절에서 예수님이 선포하신 복음의 말씀을 보십시오.

> "그러므로 아들이 너희를 자유롭게 하면 너희가 참으로 자유로우리라"(요 8:36).

그래서 하나님의 아들 예수께서 그리스도(기름 부음 받으신 구원자)로 이 땅에 오신 것입니다.

본문은 32절, "진리를 알지니 진리가 너희를 자유롭게 하리라"라는 말씀으로 시작되었습니다. 그러나 여기서 말하는 '진리'는 철학에서 말하는 어떤 형이상학적 진리가 아니라, 하나님의 아들이신 예수 그리스도를 가리킵니다. 그래서 그분은 요한복음 14장 6절에서 "내가 곧 길이요 진리"라고 선언하셨습니다. 그러므로 참된 자유는 정치적 해방으로 오는 것도, 철학적 담론의 결론으로 주어지는 깨달음도 아닙니다. 오직 예수 그리스도를 만날 때 주어지는 것입니다. 예수님을 만나지 못하고 믿지 않는 한, 우리는 결코 자유로울 수 없습니다. 하나님의 아들 예수만이 우리를 죄에서 건져 내시고, 죄의 종 되었던 우리를 하나님의 자녀로 회복시키실 수 있기 때문입니다.

탕자는 자유를 찾아 먼 나라로 떠났지만, 결국 그는 그곳에서 돼지 쥐엄 열매를 먹으며 종살이하는 신세로 전락하고 말았습니다. 그러나 그가 아버지에게로 돌아왔을 때, 아버지가 가장 먼저 한 일은 무엇이었습니까? 아들의 손에 가락지를 끼워 주는 것이었습니다. 그리고 이렇게 선언합니다.

"이는 내 아들이다. 죽었다가 다시 살아난 내 아들이다. 잃었다가 다시 얻은 내 아들이다."

그의 아들의 명분, 자녀의 명분을 회복시켜 준 것입니다.

예수님은 이 땅에 오셔서 우리가 아버지께로 돌아가는 길이 되어 주셨습니다. 그런 그분을 만나고 영접하는 순간, 우리에게 선포되는 놀라운 축복이 무엇입니까? "영접하는 자 곧 그 이름을 믿는 자들에게는 하나님의 자녀가 되는 권세"(요 1:12)를 주셨다는 것입니다.

진리 3: 그리스도의 말씀 안에 거함이 자유의 삶을 사는 비밀

그러나 여전히 남는 질문이 있습니다. 우리가 그리스도인이 되어 살아가는 삶의 여정에서, 우리가 한때 얻었던 자유의 감격, 혹은 구원의 기쁨을 상실하고 다시 종처럼, 자유 없는 자처럼 살아가는 이유는 무엇일까요? 바울 사도는 이것이 우리가 한 번은 직면해야 할 숙제임을 알고, 다음과 같이 경고합니다.

"그리스도께서 우리를 자유롭게 하려고 자유를 주셨으니 그러므로 굳건하게 서서 다시는 종의 멍에를 메지 말라"(갈 5:1).

우리가 예수를 그리스도로 믿을 때, 우리는 죄 사함을 받고 영적인 자유를 얻습니다. 이는 분명한 성경적 진리입니다. 그러나 이 자유는 자동적으로 지켜지는 것이 아닙니다. 이 자유가 흔들릴 수 있다는 것입니다.

이어지는 바울 사도의 권고를 들어 보십시오.

"형제들아 너희가 자유를 위하여 부르심을 입었으나 그러나 그 자유로 육체의 기회를 삼지 말고 오직 사랑으로 서로 종노릇하라"(갈 5:13).

그리스도인들이 영적 자유를 얻었다는 말은, 결코 육체의 본능을 따라 마음대로 살아도 된다는 뜻이 아닙니다. 그렇게 사는 것은 오히려 우리가 다시 자유를 잃어버리는 길입니다. 결국 자유란 죄로부터의 자유인데, 다시 죄 속으로 들어간다면, 우리는 그 자유를 상실하고 다시 죄의 종이 되지 않겠습니까?

그렇다면 우리는 어떻게 해야 이 자유를 지속적으로 지키며, 참된 자유를 누리는 삶을 살아갈 수 있을까요? 그것을 예수님이 본문 31절에서 가르쳐 주신 것입니다.

"그러므로 예수께서 자기를 믿은 유대인들에게 이르시되 너희가 내 말에 거하면 참으로 내 제자가 되고"(요 8:31).

그리고 이어지는 말씀이 "진리를 알지니 진리가 너희를 자유롭게 하리라"(요 8:32)입니다. 여기서 중요한 표현은 '내 말에 거하면'입니다. 그리스도의 말씀, 곧 진리의 말씀 안에 거하는 것이 바로 자유를 지키며 살아가는 비밀이라는 것입니다.

그렇다면 우리가 예수 안에, 말씀 안에 거한다는 것은 구체적으로 어떻게 사는 것을 의미할까요? 예수님은 그것을 요한복음 15장에서 본격적으로 가르치십니다.

"내가 아버지의 계명을 지켜 그의 사랑 안에 거하는 것같이 너희도 내 계명을 지키면 내 사랑 안에 거하리라"(요 15:10).

아버지의 계명을 지켜 살아가는 것, 그것이 바로 예수님의 제자 된 삶이며, 우리가 예수를 믿을 때 얻게 된 소중한 자유를 지키며 살아가는 길입니다.

어떤 의미에서든 자유는 방종이 아닙니다. 오히려 말씀을 붙들고 그 말씀대로 기쁘게 살아갈 때, 우리의 자유는 더욱 풍성하게 지켜집니다. 기차는 철로 위를 달릴 때에만 자유롭고, 새는 하늘에서, 물고기는 물속에서만 자유롭습니다. 이처럼 그리스도인도 말씀 안에 거할 때에만 참된 자유를 누릴 수 있습니다. 과거 노예 생활을

하던 흑인들은 처음에 정치적 자유만 얻으면 모든 것이 달라질 것
이라 생각했습니다. 그러나 시간이 흐르며 그들이 깨달은 것은, 참
된 자유는 주님께 돌아갈 때에만 누릴 수 있다는 사실이었습니다.
그 사실을 깨달은 그들은 이렇게 노래하기 시작했습니다.

　　오 자유, 오 자유, 나는 자유하리라

　　비록 얽매였으나 나는 이제 돌아가리

　　자유 주시는 내 주님께

　　　　　　　　　　　_〈오 자유〉(Oh Freedom, 흑인 영가)

"예수께서 길을 가실 때에 날 때부터 맹인 된 사람을 보신지라 제자들
이 물어 이르되 랍비여 이 사람이 맹인으로 난 것이 누구의 죄로 인함
이니이까 자기니이까 그의 부모니이까 예수께서 대답하시되 이 사람
이나 그 부모의 죄로 인한 것이 아니라 그에게서 하나님이 하시는 일
을 나타내고자 하심이라 때가 아직 낮이매 나를 보내신 이의 일을 우
리가 하여야 하리라 밤이 오리니 그때는 아무도 일할 수 없느니라 내
가 세상에 있는 동안에는 세상의 빛이로라 이 말씀을 하시고 땅에 침
을 뱉어 진흙을 이겨 그의 눈에 바르시고 이르시되 실로암 못에 가서
씻으라 하시니 (실로암은 번역하면 보냄을 받았다는 뜻이라) 이에 가서 씻고 밝은
눈으로 왔더라"(요 9:1-7).

22

운명을 극복하라

운명의 어두운 슬픔이 가슴을 짓누를 때도
우리는 하나님의 주권을 신뢰할 수 있어야 한다

'운명'이라는 단어에 대한 동서양의 반응은 많이 다릅니다. 대체로 기독교 세계관의 영향을 더 많이 받은 서구 문명권에서는 운명에 대한 저항과 극복이 강조됨에 반해, 그렇지 못한 동양권은 대체로 운명에 대한 수용과 체념을 미덕처럼 간주해 왔습니다. 흥미로운 것은, 베토벤 교향곡 5번 다단조가 일본에 소개되면서 〈운명 교향곡〉이라는 별명을 갖게 되었다는 사실입니다. 그런데 최근에는 거꾸로 동양의 영향을 받아, 독일이나 서구권에서도 〈운명 교향곡〉이라고 부르게 되었다고 합니다. 하지만 본래는 베토벤이 빈의 공원을 거닐다 들려온 새소리(다다다 다~, 짧은 음 세 개, 긴 음 하나)에서 영감을 받아 작곡되었다고 합니다. 당시 청각 장애와 싸우던 베토벤은 그 새

소리를 운명이 자기 인생을 두드리는 것으로 느꼈던 것입니다. 그러나 한 음악 비평가의 말처럼, 베토벤은 이 곡을 운명에 대한 체념이 아니라, 운명의 목을 비틀며 그것을 극복하려는 의지로 작곡한 것이 분명해 보입니다. 당신은 어떻습니까? 운명을 체념하며 살아가고 있습니까, 아니면 운명을 극복하려는 자세로 살아가고 있습니까?

우리가 살아가면서 운명을 가장 민감하게 느끼는 자리가 있다면, 바로 가정일 것입니다.

'내가 어쩌다 이런 가정에서 태어나게 되었을까?'

'어쩌다 저런 사람이 내 남편, 내 아내가 되었을까?'

'어쩌다 저 사람이 내 아버지, 내 어머니가 되었을까?'

'어쩌다 저런 아이가 내 아들, 내 딸이 되었단 말인가?'

'왜 나는 이렇게 가난한 가정에서 태어났을까?'

'왜 나는 이런 불행한 모습으로 살아가게 되었을까?'

'왜 나는 김태희나 송중기처럼 잘생기지 못하고, 이렇게 못생긴 모습으로 태어났을까?'

'이것이 과연 나의 운명이란 말인가?'

누구나 한 번쯤은 이런 생각을 해 보았을 것입니다. 사실 이런 질문은 예수님의 제자들에게도 있었습니다. 어느 날, 제자들이 예수님과 길을 가던 중, 날 때부터 맹인(시각장애인) 된 사람을 보고 예수님께 질문합니다.

"제자들이 물어 이르되 랍비여 이 사람이 맹인으로 난 것이 누구의 죄로 인함이니이까 자기니이까 그의 부모니이까"(요 9:2).

이러한 운명에 대한 질문이 우리를 괴롭힐 때, 우리가 할 일은 무엇입니까?

운명을 탓하지 마라

우리는 운명을 탓하지 말아야 합니다. 다시 말하면, 자신의 실존에 대한 책임전가를 할 필요가 없다는 것입니다. 본문 3절의 예수님의 대답을 들어 보십시오.

"예수께서 대답하시되 이 사람이나 그 부모의 죄로 인한 것이 아니라"(요 9:3).

예수님 당시 유대인들은 율법주의에 근거한 인과론과 운명론의 영향을 받고 있었습니다. 그래서 날 때부터 맹인 된 이 사람의 불행 역시, 사람들은 그의 숨겨진 어떤 죄 아니면 그 부모의 죄에 기인한 것이라는 생각의 지배를 받고 있었습니다. 그러나 예수님은 이런 생각을 단호히 거부하셨습니다. 이런 점에서 예수님은 인과론자도, 운명론자도 아니셨습니다. 오히려 그분의 관점은 오늘날 실존주의자들의 생각에 더 가까웠다고 할 수 있습니다. 그렇다면 실존주의자란 무엇입니까? 자신의 실존은 전적으로 자신의 자유와 책임이라는 것입니다. 실존주의에 따르면, 인간은 누구나 유일한 존재이며, 각자는 자신의 행동과 운명의 주인입니다. 따라서 나의 '나 됨'에 대해 그 누구도 탓할 수 없다고 말합니다.

저는 한국인으로서, 운명을 탓하기보다 그것을 수용하고 절망의 자리에서 다시 일어선 대표적인 사람이 있다면 가수 인순이 씨가 아닐까 생각합니다. 전쟁 이후, 한국 사회에서 가장 불행한 운명의 대명사는 아마도 '혼혈아'였을 것입니다. 한국인 어머니와 주한 미군으로 근무하던 아프리카계 미국인 아버지 사이에서 태어난 그녀의 삶은, 시작부터 차별과 소외의 연속이었습니다. 아버지는 어머니의 임신 사실을 알면서도 미국으로 떠나 버렸습니다. 그러다 보니 어려운 가정 형편으로 그녀는 고등학교 진학조차 포기해야 했습니다. 그녀야말로 운명을 탓할 만한 대표적인 사람이었습니다. 하지만 인순이 씨는 원망 대신 용서를, 미움 대신 사랑을 선택했습니다. 그녀는 "내 아버지는 한국에 폐를 끼치러 온 분이 아니라, 도우러 오셨던 분"이라고 말합니다. 그리고 1999년 워싱턴 DC에서 6·25전쟁에 참전한 노병들을 향해 이렇게 외쳤습니다.

"당신들 모두가 내 아버지입니다"(You are all my fathers).

우리는 모두 그녀가 부른 노래 〈거위의 꿈〉의 가사 한 부분을 기억할 것입니다.

그래요 난, 난 꿈이 있어요

그 꿈을 믿어요. 나를 지켜봐요

저 차갑게 서 있는 운명이란 벽 앞에

당당히 마주칠 수 있어요

그녀는 운명을 탓하는 대신, 운명의 벽 앞에 마주서기로 한 것입니다. 우리도 그럴 수 있을까요?

하나님의 선하신 주권을 신뢰하라

본문 3절에서 예수님은, 날 때부터 맹인 된 이 사람이 자기 죄나 부모의 죄 때문에 그렇게 된 것이 아니라고 말씀하신 뒤, 더욱 의미심장한 말씀을 덧붙이십니다.

"그에게서 하나님이 하시는 일을 나타내고자 하심이라"(요 9:3).

그의 불행 너머에는 하나님의 선하신 계획이 있다는 말씀입니다. 기독교 신학에서는 이것을 '하나님의 주권'이라고 부릅니다. 이 대목에서 우리가 잘 아는 바울 사도의 위대한 고백이 생각나지 않습니까?

"우리가 알거니와 하나님을 사랑하는 자 곧 그의 뜻대로 부르심을 입은 자들에게는 모든 것이 합력하여 선을 이루느니라"(롬 8:28).

여기 '모든 것'이라는 단어에는 우리가 이 땅에서 경험하는 모든 불행한 운명과 가슴 아픈 상처들까지도 다 포함됩니다. 이 모든 것이 하나님의 선을 이루고야 만다는 것입니다. 그러므로 운명의 어두운 슬픔이 우리의 가슴을 짓누를 때에도 우리는 여전히 하나님의 주권을 신뢰할 수 있어야 합니다.

구약의 요셉의 생애가 바로 그것을 증명하지 않습니까? 그는 어려서 꿈 이야기 한번 잘못 꺼냈다가 형들에게 미움을 사서 구덩이에 던져지고, 결국 애굽에 종으로 팔려가게 됩니다. 또 바로의 친위대장 보디발의 집에서 가까스로 신임을 얻어 가정총무가 되었으나, 보디발의 아내의 모함으로 인해 억울한 옥살이를 하게 됩니다. 그 모든 역경을 이겨 내고 마침내 애굽의 국무총리가 된 요셉이, 그 땅에 양식을 구하러 온 형제들을 만났을 때 한 말은 무엇이었습니까?

"당신들이 나를 이곳에 팔았다고 해서 근심하지 마소서 한탄하지 마소서 하나님이 생명을 구원하시려고 나를 당신들보다 먼저 보내셨나이다"(창 45:5).

이어지는 말씀을 보십시오.

"하나님이 큰 구원으로 당신들의 생명을 보존하고 당신들의 후손
을 세상에 두시려고 나를 당신들보다 먼저 보내셨나니 그런즉 나
를 이리로 보낸 이는 당신들이 아니요 하나님이시라 하나님이 나
를 바로에게 아버지로 삼으시고 그 온 집의 주로 삼으시며 애굽
온 땅의 통치자로 삼으셨나이다"(창 45:7-8).

여기서 요셉의 고백적 대화의 주어는 무엇입니까? '하나님'입니
다. 하나님이 계획하고 행하신 일이라는 것입니다. 이 하나님의 선
하신 계획, 선하신 주권을 신뢰한다면, 우리가 극복하지 못할 운명
은 없습니다.

소명을 발견하라

예수님은 날 때부터 맹인 된 사람에 대해 하나님께서 하실 일이 있
다고 선언하는 데에 그치지 않으시고, 이를 계기로 당신이 이 땅에
오신 소명을 선포하십니다.

"때가 아직 낮이매 나를 보내신 이의 일을 우리가 하여야 하리라
밤이 오리니 그때는 아무도 일할 수 없느니라"(요 9:4).

여기서 주목할 단어는 '우리가'입니다. 예수님은 당신의 소명에

우리를 포함시키고자 하십니다. 우리가 함께 감당해야 할 소명이 있다는 것입니다. 이것이 우리가 아버지 하나님께 보냄을 받아 이 땅에서 살아가는 이유입니다. 그렇다면 그 소명은 무엇입니까? 그것은 바로 빛 되신 예수님의 증인으로 살아가는 일입니다.

"내가 세상에 있는 동안에는 세상의 빛이로라"(요 9:5).

이 소명을 이루기 위해 예수님은 이 맹인을 실로암 못으로 보내십니다. 그곳에서 그가 눈을 떠 빛 되신 주님을 발견하도록 말입니다. 주님의 기적을 경험한 이 사람의 증언을 들어 보십시오.

"대답하되 그가 죄인인지 내가 알지 못하나 한 가지 아는 것은 내가 맹인으로 있다가 지금 보는 그것이니이다"(요 9:25).

그는 이제 참빛이신 예수의 증인 된 소명의 삶을 시작한 것입니다. 순종이 그를 증인으로 만든 것입니다. "실로암 못에 가서 씻으라"(요 9:7) 하신 말씀에 순종했기 때문입니다. 운명처럼 찾아온 불행 앞에서 절망하는 사람들에게는 실로암의 기적이 없습니다. 이 운명의 밤에도 우리가 해야 할 일이 있다고 믿는 사람들 그리고 하나님이 맡기시는 일에 순종할 준비가 되어 있는 이들에게 소명의 새 인생이 시작되는 것입니다.

멕시코인 중에 세계적으로 알려진 프리다 칼로(Frida Kahlo)라는 사람이 있습니다. 그녀는 본래 유복한 가정에서 태어났고, 다재다능했습니다. 하지만 어려서부터 소아마비를 앓아 오른쪽 다리가 불편했습니다. 그러나 그녀는 자신의 장애를 비관하지 않고 열심히 공부해서 15세에 멕시코 최고의 국립학교에 진학합니다. 그러던 어느 날, 그녀는 하교하던 중 타고 있던 버스가 전차와 충돌하는 사고를 당합니다. 온몸이 강철봉에 관통당하고, 오른쪽 발뼈가 산산조각 나는 대형 사고였습니다. 그녀는 무려 9개월 동안 꼼짝 못하고 병상에 누워 있어야 하는 운명에 처하게 됩니다. 절망이 당연한 상황이었습니다. 그러나 그녀는 운명에 항복하기를 거부합니다. 그리고 자신이 할 수 있는 일을 생각합니다. 비록 온몸은 자유롭지 않았지만, 손은 자유로웠기에 침대에 누워 그림을 그리기 시작합니다. 세계적인 화가가 탄생하는 순간이었습니다.

그녀의 대표작은 〈상처 입은 사슴〉(The wounded Deer)입니다. 숲 속에서 포위되어 빠져나갈 수 없는 상황에서, 여러 개의 화살에 몸을 관통당한 채 피 흘리는 사슴은 바로 그녀 자신의 자화상이었습니다. 그녀는 그림 아래 자신의 사인을 남기며 'karma'라는 단어를 써 놓았습니다. '운명' 혹은 '업보'라는 뜻입니다. 그러나 그것은 운명에 항복한 그림이 아니라, 운명을 극복하고자 하는 선언이라고 할 수 있습니다. 그 무렵 그녀는 이런 말을 남깁니다.

"나는 부서졌다. 그러나 할 일이 있다. 그림을 그리는 일이다. 그래서 나는 행복하다."

그녀는 자신의 소명을 발견한 것입니다. 소명이 그녀를 살려 낸 것입니다.

앞서 소개한 가수 인순이 씨의 이야기로 다시 돌아가 보겠습니다. 그녀는 지금까지 수많은 노래를 불러 왔습니다. 그런데 누군가 그녀에게 "당신 인생에서 가장 중요한 노래가 무엇입니까"라고 묻자, 그녀는 뜻밖의 대답을 내놓았습니다.

"〈Amazing Grace〉."

그녀는 이 노래를 자신의 삶의 주제가라고 말합니다.

> 나 같은 죄인 살리신 주 은혜 놀라워
> 잃었던 생명 찾았고 광명을 얻었네

그녀 역시 눈을 뜬 것입니다. 그녀의 간증을 보십시오.

"흙 속에 감추어져 있던 저를 하나님이 쓰려고 계획하신 것 같아요. 어려운 일을 많이 겪게 함으로 남을 헤아리게 하셨고, 도구로 쓰시려고 하신 것 같았습니다. 84년 세례(침례)를 받고 저를 새로운 봉사의 삶에 눈뜨게 하셨습니다."

그래서 그녀는 강원도에서 다문화 가정 아이들을 위한 해밀학교를 시작할 수 있었다고 말합니다. 그리고 무엇보다, 믿음이 가져다준 가장 큰 선물은 그동안 만나지도, 보지도 못한 아버지에 대한 용서와 사랑이었다고 고백합니다. 이후 그녀는 자신의 인생에서 또 하나의 중요한 노래를 부르게 됩니다. 그 노래의 제목은 〈아버지〉입니다.

어릴 적 내가 보았던 아버지의 뒷모습은
세상에서 가장 커다란 산이었습니다
지금 제 앞에 계시는 아버지의 모습은
어느새 야트막한 둔덕이 되었습니다
부디 사랑한다는 말을
과거형으로 하지 마십시오

한 걸음도 다가설 수 없었던
내 마음을 알아주기를
얼마나 바라고 바라 왔는지
눈물이 말해 준다

점점 멀어져 가 버린
쓸쓸했던 뒷모습에
내 가슴이 다시 아파 온다

…

서로 사랑을 하고 서로 미워도 하고
누구보다 아껴 주던 그대가 보고 싶다
가슴속 깊은 곳에 담아 두기만 했던
그래 내가 사랑했었다

　가정에서 받은 상처로 삶의 무게가 무겁게 느껴지는 이들에게 본문은 운명을 탓하지 말고, 오히려 운명을 극복하라고 가르칩니다. 원망을 감사로, 미움을 사랑으로 바꾸어 이제는 상처받은 이웃을 안아 주는 소명의 삶으로 나아가야 합니다. 이것이 바로 우리 각자와 교회 그리고 우리 민족이 사모해야 할 새로운 삶입니다.

하나님의 선하신 계획,

선하신 주권을 신뢰한다면,

우리가 극복하지 못할 운명은 없습니다.

"예수께서 그들이 그 사람을 쫓아냈다 하는 말을 들으셨더니 그를 만나사 이르시되 네가 인자를 믿느냐 대답하여 이르되 주여 그가 누구시오니이까 내가 믿고자 하나이다 예수께서 이르시되 네가 그를 보았거니와 지금 너와 말하는 자가 그이니라 이르되 주여 내가 믿나이다 하고 절하는지라 예수께서 이르시되 내가 심판하러 이 세상에 왔으니 보지 못하는 자들은 보게 하고 보는 자들은 맹인이 되게 하려 함이라 하시니 바리새인 중에 예수와 함께 있던 자들이 이 말씀을 듣고 이르되 우리도 맹인인가 예수께서 이르시되 너희가 맹인이 되었더라면 죄가 없으려니와 본다고 하니 너희 죄가 그대로 있느니라"(요 9:35-41).

23

구도의
핵심

죄인 됨을 아는 것이 구도의 시작이라면,
예수를 메시아로 믿고 고백하는 것은
구도의 핵심이다

시인 천상병의 〈길〉이라는 시가 있습니다.

길은 끝이 없구나.
강에 닿을 때는
다리가 있고 나룻배가 있다.
그리고 항구의 바닷가에 이르면
여객선이 있어서 바다 위를 가게 한다.

길은 막힌 데가 없구나.
가로막는 벽도 없고

하늘만이 푸르고 벗이고
하늘만이 길을 인도한다.
그러니
길은 영원하다.

시인은 길의 이미지를 영원을 찾아가는 여정으로 보았습니다. 그래서 그는 하늘만이 그 길을 인도한다고 말합니다. 동양의 성현들 또한 예로부터 진리를 추구하는 여정을 '구도'(求道)라 불렀고, 마침내 그 진리를 깨달았다고 여길 때 '득도'(得道)라 표현했습니다.

요한복음이 처음 우리말로 번역될 때, 요한복음 1장 1절을 중국어 번역본을 따라 "태초에 도가 있었다"라고 옮긴 이들이 있었습니다. 본래는 '말씀'이라는 헬라어 '로고스'(logos)를 번역한 것이었습니다. 하지만 우리는 이 로고스가 막연한 이성적 법칙이나 형이상학적 원리가 아니라, 인격이신 예수 그리스도를 뜻한다는 사실을 요한복음 1장 14절을 통해 알게 됩니다. "말씀[로고스]이 육신이 되어 우리 가운데 거하시매 우리가 그의 영광을 보니 아버지의 독생자의 영광이요 은혜와 진리가 충만하더라"라고 증언하고 있기 때문입니다. 따라서 성경을 하나님의 성령의 감동으로 기록된 말씀으로 믿고 고백하는 그리스도인들에게 있어, 우리가 찾고 깨달아야 할 '도'는 바로 예수 그리스도이십니다. 그분은 요한복음 14장 6절에서 "내가 곧 길"이라고 선언하십니다.

요한복음 9장 서두에서 우리는 날 때부터 맹인 된 사람이 예수님을 만나 눈을 뜨는 기적을 경험하는 장면을 보았습니다. 그러나 그는 아직 예수님이 누구신지를 확실히 인지하지 못했습니다. 육체적으로 눈을 뜨는 것보다 더 중요한 영적인 눈을 떠야 하는 과제가 그를 기다리고 있었던 것입니다. 이 기적의 사건 이후 대중의 급속한 관심이 예수님께 집중되자, 당시 대표적 종교인이었던 바리새인들은 매우 불편한 감정을 느껴 예수님이 안식일에 사람을 고치신 것으로 시비를 걸기 시작했습니다. 그리고 예수님을 안식일을 범한 죄인으로 몰아가는 과정에서 '그가 과연 누구인가'라는 물음이 제기되었습니다. 무리 가운데서 다시 이 사람을 만나게 된 예수님은, 이제 그에게 육신의 눈을 뜨는 것보다 더 중요한 영적 개안의 도리를 가르치십니다. 여기서 우리는 기독교 진리 구도의 핵심이 무엇인지를 알게 됩니다.

우리가 영적 맹인임을 아는 것

예수님을 만나 육체적 개안의 기적을 경험한 이 사람은 본래 맹인이었습니다. 그러나 예수님에게 있어 육체적 맹인보다 훨씬 더 비참한 존재는 영적 맹인이었습니다. 본문 39절에서 예수님은 당신이 이 땅에 오신 목적을 "보지 못하는 자들은 보게 하고 보는 자들은 맹인이 되게 하려 함이라"라고 말씀하십니다. 이는 육신의 눈을 뜨고 있는 자들도 스스로 영적 맹인임을 인지하는 것이야말로 참된 구원의 길임을 암시하시는 말씀입니다. 유진 피터슨은《메시지》에서 이 대목을 이렇게 번역합니다.

"보지 못하는 사람들은 보게 하고, 잘 본다고 하는 사람들은 [실상은] 눈먼 자로 폭로하려는 것이다."

바로 이때, 예수님께서 이 맹인을 고치신 일을 가지고 시비하던 바리새인들이 다음 절에서 흥미로운 반응을 보입니다.

"바리새인 중에 예수와 함께 있던 자들이 이 말씀을 듣고 이르되 우리도 맹인인가"(요 9:40).

이에 예수님은 무엇이라 말씀하십니까?

"예수께서 이르시되 너희가 맹인이 되었더라면 죄가 없으려니와 본다고 하니 너희 죄가 그대로 있느니라"(요 9:41).

무슨 뜻입니까? 우리 모두가 영적으로 맹인임을 깨달아 아는 것, 그것이 바로 죄 사함을 받고 구원을 얻는 첫걸음이라는 것입니다. 그러나 문제는 대부분의 사람들이 육체적 맹인은 멸시하면서도, 자신이 그보다 훨씬 더 비참한 영적 맹인의 상태에 있다는 것을 알지 못한다는 것입니다.

눈은 떴으나 하나님을 보지 못한 채 살아가고 있다면, 자신의 영적 상태를 인지하지 못한 채 살아가고 있다면 그리고 자기 인생의 영원한 미래를 바라보지 못한 채 살아가고 있다면, 그가 바로 영적 맹인입니다. 우리는 이 사실을 인지하고 인정해야 합니다.

일찍이 보지 못하고, 듣지 못하고, 말하지 못하는 삼중고의 고통을 안고 살았던 헬렌 켈러(Helen Keller)는 이런 말을 남겼습니다.

세상에서 가장 불쌍한 사람은, 시력은 있지만 비전이 없는 사람이다(The most pathetic person in the world is someone who has sight but no vision).

실로 마땅히 바라봐야 할 참된 삶의 비전을 갖지 못하고 살아가는 사람이야말로 가장 불쌍한 사람입니다.

성경적 구도의 첫걸음은 우리가 영적 맹인임을 인식하고 고백하는 데 있습니다. 다른 말로 하면, 우리가 죄인임을 자각하고 인정해야 한다는 것입니다. 죄인은 아직 하나님을 보지 못한 자입니다. 자신이 죄인이라는 사실조차도 알지 못합니다. 본문의 바리새인들처럼 말입니다. 하지만 자신이 죄인임을 깨닫는 순간, 그는 동시에 자기 죄를 용서해 줄 구주가 필요한 존재임을 인정하게 됩니다. 자신이 어둠 속에 있는 맹인임을 아는 순간, 그는 빛을 필요로 하는 존재임을 인정하게 됩니다. 이것이 바로 구도의 첫걸음입니다.

예수가 메시아이심을 믿는 것

자신의 죄인 됨을 인정했다면, 이제 구도의 핵심은 예수를 메시아, 혹은 구주로 믿는 것입니다. 본문이 시작되는 35절을 다시 한번 보십시오.

> "예수께서 그들이 그 사람을 쫓아냈다 하는 말을 들으셨더니 그를 만나사 이르시되 네가 인자를 믿느냐"(요 9:35).

그리고 맹인이었던 사람의 반응을 보십시오.

> "대답하여 이르되 주여 그가 누구시오니이까 내가 믿고자 하나이다"(요 9:36).

기독교 신앙의 핵심은 '예수 그리스도는 누구신가?'라는 질문에 담겨 있습니다. 기독교에서는 예수님이 무엇을 가르치셨느냐보다, 그분이 누구신지가 더 중요합니다. 예수님은 "내가 가르친 것을 믿는 자는 영생을 얻는다"라고 말씀하지 않으셨습니다. "나를 믿는 자는 영생을 얻었다"라고 말씀하셨습니다. 우리가 잘 아는 요한복음 3장 16절도 "그를 믿는 자마다 멸망하지 않고 영생을 얻게 하려 하심이라"라고 말씀합니다. 또한 요한복음 3장 36절도 "아들을 믿는 자에게는 영생이 있고 아들에게 순종하지 아니하는 자는 영생을 보지 못하고"라고 말씀합니다.

그렇다면 도대체 그분은 누구십니까? 앞에서도 살폈지만, 본문 35절에서 예수님은 당신을 '인자'라 부르며 "네가 인자를 믿느냐"라고 물으십니다. '인자'(人子)는 문자 그대로 '사람의 아들'이라는 뜻입니다. 이는 예수님의 별칭으로, 그분이 이 땅에 오신 사명을 나타내는 이름입니다. 그분은 본래 하나님의 아들이셨습니다. 그러나 스스로 사람의 아들이 되어 이 땅에 오신 것입니다. 왜 그렇게 오셔야만 했을까요?

"인자가 온 것은 잃어버린 자를 찾아 구원하려 함이니라"(눅 19:10).

예수는 길을 잃고 방황하는 인생들의 구원자로 오신 분입니다. 이 구원자를 다른 말로 메시아 혹은 그리스도라고 부릅니다.

'메시아' 또는 '그리스도'라는 말의 문자적 의미는 '기름 부음 받은 자'(anointed one)입니다. 구약에 보면, 어떤 직위에 오늘 때 기름 부음을 받는 세 가지 중요한 직임이 있었습니다. 바로 왕과 선지자 그리고 제사장입니다. 왕은 다스리는 자요, 선지자는 가르치는 자이며, 제사장은 하나님과 인간 사이의 중보자입니다. 이스라엘의 역사는 왕들에 대한 반복된 실망, 거짓 선지자들로 인한 좌절 그리고 불완전한 제사장들로 인한 고통의 연속이었습니다. 그러나 어느 날, 하나님께서 기름 부어 세우신 분이 오실 것이라는 약속이 주어졌습니다. 그분은 온전한 공의로 다스릴 왕, 참된 진리로 가르쳐 인도할 선지자 그리고 하나님과 인간 사이에 완전한 다리가 되어 줄 제사장으로 오신다는 것입니다. 이것을 가리켜 '메시아 대망'이라고 합니다.

이스라엘 공동체는 인자의 모습으로 오실 메시아, 곧 그리스도를 기다려 왔습니다. 그리고 예수님은 지금 이 사람에게 "네가 그 인자를 믿느냐?"라고 물으십니다. 이 맹인 되었던 자의 반응은 무엇입니까?

"대답하여 이르되 주여 그가 누구시오니이까 내가 믿고자 하나이다"(요 9:36).

이에 대한 예수님의 대답은 무엇입니까?

"예수께서 이르시되 네가 그를 보았거니와 지금 너와 말하는 자가 그이니라"(요 9:37).

무슨 말입니까? 예수님 당신이 사람의 아들로 오신 하나님의 아들이라는 것입니다. 다시 말해, "내가 메시아다", "내가 그리스도다", 곧 "내가 너희의 구원자다"라는 선언입니다. 이제 그의 대답은 무엇입니까?

"이르되 주여 내가 믿나이다"(요 9:38).

바로 이 고백이 구도의 핵심입니다. 예수를 구원자로 믿고, 그분을 주님으로 고백하는 순간 말입니다. 이 고백을 가진 자를 우리는 '그리스도인'이라 부르는 것입니다. 아무리 오래 교회를 다녔어도, 이 고백이 없다면 그는 여전히 구도자일 뿐, 참된 그리스도인은 아닌 것입니다.

당신은 구도자입니까, 그리스도인입니까? 예수를 그리스도로 믿는 사람이 그리스도인입니다. 그것이 바로 구도의 핵심이기 때문입니다.

예수를 하나님으로 경배하는 것

저는 이 단계를 구도의 완성이라고 믿습니다. 자신의 죄인 됨을 아는 것이 구도의 진지한 시작이라면, 예수를 메시아로 믿고 고백하는 것은 구도의 핵심입니다. 이제 남은 것은 구도의 완성입니다. 본문 38절은 "이르되 주여 내가 믿나이다 하고 절하는지라"라고 기록합니다. 이 구절을 유진 피터슨은 《메시지》에서 "그 사람은 '주님, 제가 믿습니다' 하며 예수께 경배했다"고 말합니다.

NIV 성경은 이 대목을 "and he worshiped him"(그를 경배했다)으로 번역했습니다. 그는 단순히 존경의 뜻으로 절한 것이 아니라, 예배한 것입니다.

예배의 대상은 오직 하나님뿐입니다. 이 사람이 예수님께 경배했다는 것은, 예수님을 하나님으로 믿었다는 뜻입니다. 그는 예수님을 믿고 예배한 것입니다. 예수를 단순히 존경하는 차원이 아닌 하나님으로 믿고 경배하는 순간, 그는 더 이상 구도자가 아니라 믿음의 사람이 된 것입니다. 그의 구도는 완성된 것입니다. 물론 믿는 자로서 성숙해 가는 여정은 아직도 먼 길이 남아 있지만, 더 이상 그는 구도자, 즉 길을 찾는 자가 아니라, 길 되신 예수를 만나 그분을 경배하며 따르는 자가 된 것입니다.

그래서 저는 이 땅에 시각장애인(맹인) 교회가 있다는 사실을 기뻐하며 감사합니다. 그들도 예배자가 되었기 때문입니다. 또한 저는 이 땅에 한센병 환자들의 공동체가 있다는 사실도 기뻐하고 감사합니다. 소록도 중앙교회, 여수 애양원교회가 바로 그런 교회들입니다. 저는 일찍이 누군가가 그들을 동정만 한 것이 아니라, 그들에게 복음을 전해서 그들로 하여금 예수를 메시아로, 하나님으로 믿게 했다는 사실이 참으로 감사합니다.

우리는 손양원 목사님의 삶을 잘 알고 있습니다. 그분은 평생 한센병 환자들을 섬기며 그들의 친구가 되었고, 그들에게 복음을 전했습니다. 이 손 목사님에게 영향을 끼친 호주의 한 선교사님이 계십니다. 그의 이름은 제임스 맥켄지(James McKenzie, 매견시)입니다. 그는 본래 영국 태생이었지만, 호주로 이민을 갔다가 1910년, 호주에서 부산으로 파송된 선교사입니다. 그는 특히 한센인들에 대한 애정을 갖고, 1912년부터 부산 감만동에서 한센병 환자들을 위한 병원을 운영하면서 그곳을 상애원(서로 사랑하는 곳)이라 불렀습니다. 그는 한센병 환자 한 사람 한 사람을 인격적으로 대했고, 그들에게 치료 이상으로 복음이 필요하다고 믿어 그들을 위한 예배를 시작했습니다.

1926년, 한 한국인 전도자가 상애원을 방문하여 맥켄지 선교사가 한센병 환자들의 고름을 빨아내고, 그들과 함께 예배하는 모습을 보고 충격을 받습니다. 그 전도자가 바로 손양원 목사였습니다.

맥켄지 선교사는 한국을 떠나며 "아들이 없어 이 사역을 승계하지 못하는 것이 안타깝지만, 내 딸들이 훗날 부산에 와서 사역하기를 기도한다"고 말했습니다. 그리고 1952년, 아직 6.25전쟁이 끝나기 전이었지만, 호주에서 각각 산부인과 의사와 간호사가 된 그의 두 딸, 헬렌 맥켄지(Helen McKenzie, 매혜란)와 캐서린 맥켄지(Catherine McKenzie, 매혜영)가 부산에 와서 병원을 세웁니다. 그 병원이 바로 일신기독병원이며, 우리나라 역사상 가장 많은 신생아(29만 4천여 명)를 탄생시킨 병원이 되었습니다.

이 가족의 거룩한 헌신은 무엇 때문이었습니까? 바로 복음 때문이었습니다. 사람들은 이 가족의 거룩한 헌신을 〈호주 매 씨 가족의 한국 소풍 이야기〉로 기억합니다. 그들이 뿌린 소중한 복음의 씨앗으로 이 땅의 수많은 사람, 특히 사회적 약자들이 구도의 길로 들어섰고, 우리와 함께 하나님을 예배하게 된 은혜를 기억하고 싶습니다.

"내가 진실로 진실로 너희에게 이르노니 문을 통하여 양의 우리에 들어가지 아니하고 다른 데로 넘어가는 자는 절도며 강도요 문으로 들어가는 이는 양의 목자라 문지기는 그를 위하여 문을 열고 양은 그의 음성을 듣나니 그가 자기 양의 이름을 각각 불러 인도하여 내느니라 자기 양을 다 내놓은 후에 앞서 가면 양들이 그의 음성을 아는 고로 따라오되 … 내가 문이니 누구든지 나로 말미암아 들어가면 구원을 받고 또는 들어가며 나오며 꼴을 얻으리라 도둑이 오는 것은 도둑질하고 죽이고 멸망시키려는 것뿐이요 내가 온 것은 양으로 생명을 얻게 하고 더 풍성히 얻게 하려는 것이라 나는 선한 목자라 선한 목자는 양들을 위하여 목숨을 버리거니와"(요 10:1-4, 9-11).

24

선한 목자의
리더십

예수님은 앞서 모본을 보이는 목자,
양들의 이름을 부르는 선한 목자이다

헤르만 헤세(Herman Hesse)가 쓴 《동방순례》라는 짧은 이야기책이 있습니다. 성지 순례단이 목적지를 향해 가면서 겪게 되는 여러 가지 해프닝이 기록되어 있습니다. 이 순례자들 중에는 '레오'라는 이름을 가진 친구가 있었습니다. 그는 사람들을 만날 때마다 미소와 함께 "무엇을 도와드릴까요?"라고 물으며 늘 섬김의 사역을 감당했습니다. 또한 저녁이면 자신이 좋아하는 악기를 연주하고 노래를 부르며 사람들을 즐겁게 했습니다. 사람들은 그를 재미있는 친구라고 생각했지만, 누구도 그를 특별하게 여기지 않았습니다. 그저 순례단의 임무를 돕기 위해 고용된 일꾼으로만 생각했습니다.

그러던 어느 날, 레오가 사라졌습니다. 그때부터 순례단에는 이

전에는 없던 여러 문제가 발생하기 시작했습니다. 사람들은 서로 다투기 시작했고, 그들은 중심을 잃고 방황하기 시작했습니다. 그 때 누군가가 레오가 보이지 않는다고 말했습니다. 그제야 사람들은 레오가 그들의 진정한 지도자였음을 깨닫게 되었습니다. 그리고 후일, 그들은 더 놀라운 사실을 알게 되었습니다. 레오는 바로 그들이 속한 교단의 최고 지도자였으며, 그럼에도 불구하고 마치 순례단의 머슴처럼 행동하며 그들의 여행에 참여하고 있었다는 것입니다. 레오는 바로 예수 그리스도의 그림이었던 것입니다.

지도자의 존재는 공동체를 한순간에 무너지게도 하고, 무너졌던 공동체를 다시 일으켜 세우기도 합니다. 인류 역사상 가장 위대한 지도자가 예수 그리스도이심을 부인할 사람은 많지 않을 것입니다. 예수님은 당신에 대해 "나는 선한 목자"(요 10:11, 7대 자기 선언, 7 I am의 하나)라고 선언하시면서, 선한 목자로서의 리더십의 자질을 가르치셨습니다. 우리는 그분의 가르침 속에서 오늘의 시대가 기다리는 참된 리더십의 몇 가지 자질을 주목하고자 합니다.

정문 리더십

"내가 진실로 진실로 너희에게 이르노니 문을 통하여 양의 우리에 들어가지 아니하고 다른 데로 넘어가는 자는 절도며 강도요 문으로 들어가는 이는 양의 목자라"(요 10:1-2).

저는 이 말씀을 '정문 리더십'이라고 부르고 싶습니다. 선한 목자는 양의 우리에 정문으로 들어와, 양들로부터 정당하게 목자로 인정받은 사람입니다. 앞선 장에서 우리는 바리새인들을 만날 수 있었습니다. 그들은 종교 지도자를 자처하면서, 날 때부터 맹인 되었던 사람이 예수님에 의해 치유되자 이를 기뻐하기보다는 오히려 비난하고 나섰습니다. 그들에게는 양의 복지보다, 지도자로서의 자신들의 위신이나 체면이 더 중요했던 것입니다. 예수님은 이런 이들이야말로 정문으로 들어온 목자가 아니라, 담을 넘어온 절도요, 강도라고 선언하셨습니다.

가평 필그림하우스에 있는 '천로역정 순례길'을 걷다 보면 '허례'와 '위선'이라는 두 인물을 만나게 됩니다. 그들은 좁은 문도, 십자가 언덕도 통과하지 않은 채 담을 넘어오고 있습니다. 그들은 종교적인 예법이나 격식에는 익숙했으나, 하나님의 부르심을 따라 소명 받은 지도자는 아니었던 것입니다. 결국 그들은 위험과 멸망의 나락으로 떨어지고 맙니다. 구약에서는 세상에 오실 메시아, 곧 참된 지도자가 작은 고을 베들레헴에서 탄생할 것이며, 예루살렘에 입성할 때도 어린 나귀를 타고 입성하여, 백성 위에 군림하기보다 백성을 겸손하게 섬길 것이라고 예언하였습니다. 이런 절차가 바로 구세주께서 당신의 양들이 사는 이 세상에 들어오시는 '정문'이었던 것입니다.

당신은 어떻습니까? 당신은 하나님의 소명으로 세움 받아 양을 섬기는 목자로 일하고 있습니까, 아니면 종교 공동체 안에 일정 시간 머물렀다는 이유만으로 형식적으로 지도자의 반열에 오른 사람입니까? 지도자로서의 진정한 검증은 종교 제도가 아닌, 양들의 인정을 통해 이루어집니다. 양들이 당신의 음성을 목자의 음성으로 인식해, 당신을 자신들의 리더인 목자로 알고 따르고 있느냐는 것입니다. 성경에 비추어 볼 때, 당신의 리더십은 양들의 기쁨이요, 기대를 실현하는 '정문 리더십'입니까, 아니면 담을 넘어오는 자기 본위의 리더십입니까?

관계의 리더십

산업화 시대를 지나오면서 우리는 '일의 성취'를 지도력의 가장 중요한 덕목으로 여기게 되었습니다. 그러나 그 과정에서 우리는 '존재의 중요성'을 망각하게 되었습니다. 큰일, 큰 결과가 중요할 뿐, 그일을 한 사람이 누구인가는 더 이상 관심의 대상이 되지 않은 것입니다. 이런 산업화 시대에 적합한 목자는 양을 잘 부리고 착취하는 자일 수 있습니다. 그러나 주님의 선한 목자관은 전혀 달랐습니다.

"문지기는 그를 위하여 문을 열고 양은 그의 음성을 듣나니 그가 자기 양의 이름을 각각 불러 인도하여 내느니라"(요 10:3).

목자의 중요한 덕목은 양의 이름을 알고, 그 이름을 부르며 인도하는 것입니다. 애완견을 사랑하는 사람들이 자신의 애완견 이름을 부르듯, 옛날 팔레스타인의 목자들도 양 한 마리, 한 마리에 이름을 지어 주고 그 이름을 부른 것입니다. 이처럼 목자에게 있어 가장 소중한 것은, 양과 맺는 친밀한 관계입니다.

복음서에 그려진 예수님의 모습 가운데 가장 인상적인 장면은, 예수님이 사람들의 이름을 직접 부르신다는 사실입니다.

"삭개오야! 나사로야! 마르다야! 마리아야!"

그분에게 사람은 집단이나 군중이 아니라, 세상 그 누구와도 바꿀 수 없는 개별적이고 독자적인 존재입니다. 그리고 그들은 각자 누군가와 소중한 관계를 맺고 있습니다. 유대인 철학자 마르틴 부버(Martin Buber)에 의하면, 내가 너를 인격으로 부를 때 너는 나에게 인격으로 응답해야 하는 '나와 너'(Ich und Du, I and Thou)인 것입니다. 당신은 리더로서, '너'의 이름을 부르며 인도하는 그런 관계적 리더십을 추구하고 있습니까?

모본의 리더십

예수님은 양들 뒤에서 채찍을 들고 몰아가는 목자가 아니라, 앞서 가며 모본을 보이는 목자, 그래서 그분은 선한 목자이십니다.

"자기 양을 다 내놓은 후에 앞서 가면 양들이 그의 음성을 아는 고로 따라오되"(요 10:4).

학생 시절, 시험을 치를 때 시험 감독 선생님이 서 계시던 위치를 기억할 것입니다. 선생님이 교실 맨 앞에서 감독하실 때와 교실 맨 뒤에서 학생들의 등을 바라보며 감독하실 때의 느낌이 분명 달랐을 것입니다. 언제가 더 불안했습니까? 선생님이 뒤에 계실 때 더 큰 불안과 공포를 느끼지 않았습니까? 오히려 앞에 계신 선생님에게는 친근감과 안정감을 느낄 수 있었습니다.

'앞에서 인도한다'는 말의 핵심은, 인도자가 먼저 모본을 보여야 한다는 데 있습니다. 예수님은 제자들에게 섬김의 중요성을 단지 말씀으로만 가르치지 않으셨습니다. 요한복음 13장에 보면, 예수님이 수건을 허리에 두르고 대야에 물을 떠다가 제자들의 발을 씻기시는 장면이 나옵니다. 그 섬김의 행동이 끝난 후에야 비로소 예수님은 설교를 시작하십니다.

> "내가 주와 또는 선생이 되어 너희 발을 씻었으니 너희도 서로 발을 씻어 주는 것이 옳으니라 내가 너희에게 행한 것같이 너희도 행하게 하려 하여 본을 보였노라"(요 13:14-15).

반대로, 예수님이 바리새인들의 리더십을 비판하신 대목을 보십시오.

"그러므로 무엇이든지 그들[바리새인]이 말하는 바는 행하고 지키되 그들이 하는 행위는 본받지 말라 그들은 말만 하고 행하지 아니하며"(마 23:3).

당신의 리더십은 어떤 리더십입니까? 말뿐인 리더십입니까, 아니면 모본의 리더십(leadership by example)입니까?

공급의 리더십

리더는 자신을 따르는 추종자들의 필요를 살피고 공급할 책임이 있습니다. 목자 역시 양들이 먹을 꼴을 공급할 책임이 있습니다. 이처럼, 목자에게 요구되는 리더십은 '공급의 리더십'입니다.

"내가 문이니 누구든지 나로 말미암아 들어가면 구원을 받고 또는 들어가며 나오며 꼴을 얻으리라 도둑이 오는 것은 도둑질하고 죽이고 멸망시키려는 것뿐이요 내가 온 것은 양으로 생명을 얻게 하고 더 풍성히 얻게 하려는 것이라"(요 10:9-10).

영적인 목자가 자신을 따르는 양들에게 공급해야 할 가장 중요한 꼴은 영생의 꼴, 곧 구원이며, 더 나아가 더욱 풍성한 생명입니다. 그렇다면 오늘날 교회의 목자들은 이 공급의 리더십의 책임을 제대로 감당하고 있을까요?

양들이 푸른 초장에서 싱싱한 생명의 꼴을 공급받을 때, 그들이 부를 찬미가는 무엇일까요? "여호와는 나의 목자시니 내게 부족함이 없으리로다"(시 23:1)가 아닐까요? 제가 담임 목회자로 섬기는 동안 가진 큰 두려움이 있었다면, 먼저는 우리 교회에 출석하는 성도들이 구원의 확신을 갖지 못하고 세상을 떠나는 일이었습니다. 그 다음으로는 구원받고 새 생명을 얻은 성도들이 그 생명 안에서 자라지 못하고, 영적인 미숙아로 세상을 떠나는 일이었습니다. 그래서 제 설교의 우선순위는 첫째, 구원의 교리를 명확하게 전달하는 것이었고, 둘째, 영적 성숙에 초점을 둔 성화의 교리를 강조하는 것이었습니다. 왜냐하면 모든 영적 지도자는 생명의 꼴을 공급하는 책임을 온전히 감당해야 한다고 믿기 때문입니다.

희생의 리더십

마지막으로, 본문이 강조하는 선한 목자의 리더십 자질은 '희생의 리더십'입니다.

> "나는 선한 목자라 선한 목자는 양들을 위하여 목숨을 버리거니와"(요 10:11).

설명의 여지없이, 선한 목자이신 예수님은 십자가 위에서 대속의 죽음으로 당신의 모든 것을 희생 제물로 내어 주셨습니다. 예수님은 물론, 동서고금을 막론하고 역사에 선한 흔적을 남긴 리더들의 공통점은 바로 개인의 이익을 포기하고 공동체를 위해 희생했다는 사실입니다. 자신을 버리지 않고는 공동체의 미래를 얻을 수 없습니다.

1912년, 32세의 나이에 싱글 간호 선교사로 조선 땅에 와서 22년을 섬기다 세상을 떠난 엘리자베스 쉐핑(Elizabeth Shepping, 서서평)은 다른 선교사들과는 달랐습니다. 그녀는 조선의 옷을 입고, 보리밥과 된장국을 먹으며 살았습니다. 그녀는 버려진 열네 명의 아이들을 양자로 입양했고, 당시 이름조차 없었던 여인들에게는 이름을 지어 주고 글을 가르쳤습니다. 그러면서 그 작은 교실은 이일학교로 발전했습니다. 또한 서른여덟 명의 과부와 셀 수 없이 많은 한센병 환자들을 돌보았습니다. 이 땅에서 처음으로 간호학 교과서를 집필했고, 이 땅에 간호사협회가 탄생하도록 섬겼습니다.

그녀가 세상을 떠났을 때, 빛고을 광주에서는 자발적인 최초의 시민 사회장을 열어 천국으로 떠나는 그녀와 작별했습니다. 수많은 고아와 과부, 한센인들 그리고 전국에서 모여든 간호사들이 "어머니, 어머니, 이제 우리는 어떻게 살아요" 하고 슬피 울며 장례 행렬을 따랐습니다. 장례를 마친 이들이 그녀의 방에 들어갔을 때, 그 안에 남겨진 것은 '담요 반 장, 강냉이 두 홉, 동전 일곱 개, 초라한 옷가지 몇 점'이 전부였습니다.

그런데 그녀가 사용하던 책상머리에 붙어 있던 액자의 글귀가 사람들의 시선을 사로잡았습니다.

Not success, but service(성공이 아니라 섬김이다).

그녀가 남긴 감동은 무엇입니까? 바로 희생입니다. 그녀를 개화기 조선의 리더로 그리고 오늘날 다큐멘터리 영화로 재현되어 우리가 본받을 만한 선교 지도자로 다시금 우리 앞에 서게 한 비밀은 한마디로 '희생'입니다. 그녀는 그 희생을 누구에게 배웠을까요? 물론 그녀의 선한 목자, 그녀를 조선에 선교사로 보내신 분, 곧 우리의 주님이자 구주이신 예수 그리스도이십니다. 그렇다면 이제 중요한 물음이 남습니다. 당신은 이 선한 목자에게서 참된 리더십을 배우며, 그 길을 따르고 있습니까?

예수님은 양들 뒤에서
채찍을 들고 몰아가는 목자가 아니라,
앞서 가며 모본을 보이는 목자,
그래서 그분은 선한 목자이십니다.

"또 이 우리에 들지 아니한 다른 양들이 내게 있어 내가 인도하여야 할 터이니 그들도 내 음성을 듣고 한 무리가 되어 한 목자에게 있으리라 … 명절에 예배하러 올라온 사람 중에 헬라인 몇이 있는데 그들이 갈 릴리 벳새다 사람 빌립에게 가서 청하여 이르되 선생이여 우리가 예수 를 뵈옵고자 하나이다 하니 빌립이 안드레에게 가서 말하고 안드레와 빌립이 예수께 가서 여쭈니 예수께서 대답하여 이르시되 인자가 영광 을 얻을 때가 왔도다 내가 진실로 진실로 너희에게 이르노니 한 알의 밀이 땅에 떨어져 죽지 아니하면 한 알 그대로 있고 죽으면 많은 열매 를 맺느니라"(요 10:16, 12:20-24).

25

지구촌 선교의 비전

우리가 구원받은 그리스도인으로 살게 된 것은
예수 그리스도의 십자가 사랑 때문이다

지구촌교회는 1993년 11월 14일, 수지에 위치한 선경 스마트 공장 강당에서 65명의 성도가 모여 함께 개척 준비 예배를 드림으로 시작되었습니다. 당시 지구촌교회의 개척 비전은 '세계 복음화의 이상을 실현하는 교회가 되는 것'이었습니다. 그래서 교회 이름도 '지구 촌 교회', 영어로는 'Global Mission Church'로 정한 것입니다.

그리고 6개월이 지난 1994년 5월 7일, 양재동 횃불 센터를 빌려 한국 교회를 향한 이러한 선교적 교회의 창립을 알리는 축제를 열고, 우리 교회의 구체적인 선교 목표를 '333비전'으로 선포했습니다.

첫 번째 3은, 복음 전도를 통해 3만 명의 가족에게 복음을 전하는 교회가 되고자 한 것입니다. 당시 수지·분당 지역의 인구는 30만 명으로, 우리는 그중 최소한 10분의 1에 해당하는 3만 명에게 복음 전도의 책임을 다하고자 했습니다.

두 번째 3은, 그 3만 명 중 10분의 1에 해당하는 3천 명의 평신도 지도자를 예수님의 제자로 세우는 것이었습니다. 구체적으로는 젊은이까지 포함하여 3천 소그룹 목장의 지도자 3천 명을 세움으로써 실현하고자 했습니다.

마지막 3은, 그렇게 세워진 3천 명의 헌신된 제자들 가운데 다시 10분의 1인 3백 명을 타문화권 선교사로 파송하는 것이었습니다.

감사하게도 2010년 4월 4일, 부활절 축제를 수원 월드컵 경기장에서 개최하여 3만 성도가 모였고, 지구촌교회의 선교 목표를 실현하게 하신 하나님께 감사와 영광을 돌릴 수 있었습니다.

저는 지구촌교회가 지향하는 선교적 교회의 가장 중요한 특성 중 하나가, 바로 우리의 홈에서 시작해 한국 민족뿐 아니라 다양한 민족을 포용하는 교회로 자리매김하고 있다는 사실이라고 생각합니다. 지구촌교회의 주일 예배는 한국어뿐 아니라 영어, 일본어, 중국어 등 여러 나라의 언어로 함께 드려지고 있습니다.

그렇다면 우리가 앞으로도 세계 선교, 지구촌 선교의 비전을 지속적으로 실현해 나가기 위해 필요한 교훈은 무엇일까요?

'자기 집단 안거(安居) 의식'을 초월하라

요한복음 10장에서 예수님은 당신을 '선한 목자'라고 선언하십니다.
그리고 선한 목자로서, 당신이 어떻게 양들을 인도하고 그들의 필
요를 공급하며 보호할 것인지를 말씀하십니다. 그런데 16절에서,
그분은 당신이 감당해야 할 또 다른 중요한 소명을 선언하십니다.

"또 이 우리에 들지 아니한 다른 양들이 내게 있어 내가 인도하여
야 할 터이니 그들도 내 음성을 듣고 한 무리가 되어 한 목자에게
있으리라"(요 10:16).

예수님은 복음서를 통해서 여러 차례, 당신이 이 땅에 오신 일
차적인 목적 중 하나가 이스라엘의 잃어버린 양들을 위한 것이라
고 말씀하십니다. 그러나 그분의 소명은 결코 거기에서 멈추지 않
으셨습니다. 궁극적으로는 이스라엘에서 시작하여 이방인을 포함
한 모든 민족 구원을 실현하는 것이었습니다. 예루살렘에서 시작
해 땅끝까지 주의 구원을 선포하고자 하신 것입니다. 이 교훈을 우
리에게 적용한다면, 우리는 우리의 예루살렘인 이곳 한국 수도권
에서 시작하여 땅끝까지 복음의 증인이 되어야 한다는 것입니다.
한국 그리스도인, 혹은 한국 교회의 세계 선교에 있어 여전히 가
장 큰 장해물이 되는 것이 있다면, 그것은 바로 지나친 '자민족 중
심주의'(ethno-centrism)라고 생각합니다. 우리는 종종 우리가 단일

민족임을 자랑스럽게 여깁니다. 물론 이것은 역사적으로 사실이 아닙니다. 그럼에도 불구하고 우리는 사실이 아닌 단일민족 의식을 가지고, 다른 민족과 어울리는 일에 어쩐지 불편한 벽을 느끼고 있습니다. 본문에 나타난 예수님의 표현을 빌리자면, 우리는 우리가 익숙하게 지내 온 '우리'(pan) 안에 안주한 채, 그동안 만나 보지 못한 '다른 양'들을 만나기를 주저하고 있는 것입니다. 한 한국학 연구자는 이것을 '내(內)집단 의식'이라고 했습니다. 예로부터 농경 사회에서 한 장소에 대대손손 살아온 우리는 내 씨족끼리, 내 고향 사람끼리, 내 동창끼리, 내 민족끼리만 가까이 지내며, 나와 다른 유형의 집단 사람들에게는 좀처럼 친화적이지 못한 경향이 있어 왔다는 것입니다. 우리는 동시에 '외(外)집단 피해 의식'을 갖고 있습니다.

그런데 우리가 이러한 의식을 고집한다면, 우리는 미래의 천국에서 곤란을 겪을 것이 분명합니다. 왜냐하면 천국은 각 나라와 족속과 백성과 방언에서 나온 큰 무리가 흰옷을 입고 어린양의 구원을 함께 찬양하는 나라이기 때문입니다(계 7:9-10 참조). 그러므로 한국인의 본격적인 세계 선교는, 우리끼리만 안주하려는 의식을 초월할 때 비로소 실현될 수 있을 것입니다.

한 목자 안에서 하나 되라

예수님은 이스라엘 우리 밖의 다른 양들, 곧 이방인들도 주님의 음성을 듣고 한 무리가 되어 한 목자에게 속해야 한다고 말씀하십니다. 우리는 서로 다른 언어와 문화, 다른 민족적 배경을 갖고 있지만, 우리가 참된 그리스도인이라면 모두 같은 목자를 모시고 있다는 것입니다. 그 목자는 바로 예수 그리스도이십니다. 그리고 우리가 이 한 목자, 예수 그리스도에게 속하는 순간, 우리는 모든 것을 초월해서 한 무리, 한 공동체, 한 교회의 지체가 되는 것입니다.

"몸이 하나요 성령도 한 분이시니 이와 같이 너희가 부르심의 한 소망 안에서 부르심을 받았느니라 주도 한 분이시요 믿음도 하나요 세례[침례]도 하나요 하나님도 한 분이시니 곧 만유의 아버지시라 만유 위에 계시고 만유를 통일하시고 만유 가운데 계시도다"(엡 4:4-6).

그렇습니다. 이제 우리는 한 하나님, 한 아버지를 가진 한 가족에 속한 형제자매가 되었습니다. 그래서 에베소서 4장 3절은 "평안의 매는 줄로 성령이 하나 되게 하신 것을 힘써 지키라"라고 권면합니다. 우리는 이미 하나입니다. 그러므로 그것을 힘써 지켜야 합니다.

본문은 유월절 절기를 맞아 "명절에 [예루살렘으로 하나님을] 예배하러 올라온 사람 중에 헬라인 몇”(요 12:20)이 있었다고 기록합니다. 그런데 그들(헬라인, 이방인들)이 예수님의 제자 빌립을 찾아와 예수님을 만나고 싶다고 요청합니다.

“우리가 예수를 뵈옵고자 하나이다”(요 12:21).

이 말을 들으신 예수님의 반응을 보십시오.

“예수께서 대답하여 이르시되 인자가 영광을 얻을 때가 왔도다”
(요 12:23).

예수님께서 십자가의 죽으심이 가까웠음을 말씀하신 것입니다. 그렇다면 왜 헬라인 몇 사람이 찾아온 이 순간에 이런 선언을 하신 것일까요? 그것은 예수님의 죽으심이 단지 유대인을 위한 것만이 아니라, 모든 이방 민족의 구원을 위한 것이었기 때문입니다. 그래서 그분은 이방인들의 면회 요청을 신호를 삼아, 당신의 구원 계획이 성취될 영광의 때가 가까이 왔음을 선포하신 것입니다.

“하나님은 모든 사람이 구원을 받으며 진리를 아는 데에 이르기를 원하시느니라”(딤전 2:4).

그리고 이어지는 말씀을 보십시오.

“그가 모든 사람을 위하여 자기를 대속물로 주셨으니 기약이 이르러 주신 증거니라”(딤전 2:6).

그때가 온 것입니다. 모든 사람이 예수님을 믿고, 믿는 모든 사람이 구원을 받아 한 목자이신 예수님께 속한 한 지체가 될 때가 된 것입니다. 그러므로 우리는 이제 그 한 목자 안에서 하나가 되어야 합니다. 우리는 하나입니다! 우리는 한 가족입니다!

자신을 깨뜨려 희생하라

세계 선교, 지구촌 선교의 사명을 온전히 감당하는 교회가 되기 위해서는 자기 자신을 깨뜨리는 희생을 감수해야 합니다. 무엇보다 우리가 오늘 이 땅에서 구원받은 그리스도인으로 살아갈 수 있는 것은, 전적으로 예수 그리스도의 희생 덕분입니다. 우리는 그 사랑을 잊지 말아야 합니다.

“내가 진실로 진실로 너희에게 이르노니 한 알의 밀이 땅에 떨어져 죽지 아니하면 한 알 그대로 있고 죽으면 많은 열매를 맺느니라”(요 12:24).

우리는 한 알의 밀알 되신 예수님의 희생으로 맺어진 구원의 열매입니다. 그러나 이제 중요한 것은, 그분의 희생에 대한 우리의 응답입니다. 더 많은 열매가 이 땅 그리고 모든 민족과 모든 방언에서 맺히기 위해, 우리도 기쁘게 한 알의 밀알이 될 수 있겠느냐는 것입니다. 복음 선교의 역사는 '피 묻은 강의 역사'입니다. 우리보다 앞선 누군가가 복음을 위해 희생한 그 터전 위에서 복음의 꽃이 피고 열매가 맺히는 것입니다.

호주에서 온 선교사 가운데 조셉 헨리 데이비스(Joseph Henry Davis)라는 분이 계십니다. 그는 호주 멜버른대학교를 졸업한 뒤, 콜필드 문법학교(Caulfield Grammar School)에서 7년간 교장으로 섬겼습니다. 어느 날, 그가 출석하던 교회의 선교 잡지에서, '조선의 부산에 선교사가 필요하다'는 글을 읽고 가슴이 뜨거워진 그는 호주 빅토리아 청년연합회의 파송으로 1889년 10월에 한국 땅을 밟게 됩니다. 서울에 도착한 그는 언더우드(Horace Grant Underwood) 선교사와 교제하며 성경 번역 사역의 요청을 받았습니다. 그러나 그가 기도하고 온 목적지는 부산이었기에, 서울에서 5개월 정도 한국어의 기초를 익힌 후, 1890년 3월 14일, 선교 여행을 겸해 서울에서 부산을 향해 도보로 출발하게 됩니다. 그리고 그는 과천-수원-천안-공주-논산-전주-남원-하동을 거쳐, 무려 20일 만에 부산에 도착합니다. 서툰 한국어로 복음을 전하며, 몸에 맞지 않는 여관에서 잠을 자고, 입에 맞지 않는 음식을 먹고, 낯선 기후에 적응하지 못한 채 비위생적인 물을 마셔 온 그는 결국 부산 도착 직전에 폐렴과 천연두에 걸리고 맙니다.

그는 그렇게 꿈에 그리던 선교지, 부산에 도착한 다음 날인 4월 5일, 34세의 나이로 세상을 떠났습니다. 얼마나 안타까운 일입니까? 과연 그의 부산을 향한 노력과 희생은 그만한 대가를 치를 가치가 있는 여정이었다고 말할 수 있을까요? 혹시 무모하고 헛된 여정은 아니었을까요? 그런데 놀라운 일이 벌어졌습니다. 그의 소식이 호주에 전해지자, 이 후 호주 교회는 126명의 선교사를 부산과 경남 지역에 파송했습니다. 한 알의 밀알이 부산과 경남 선교에 수많은 열매를 맺는 계기가 된 것입니다. 부산 복병산에 자리한 그의 묘지에는 이런 비문이 쓰여 있습니다.

To Live Christ To Die Gain(사는 것이 그리스도니 죽는 것도 유익함이라).

그렇다면 우리를 향한 주님의 질문은 무엇일까요?

"내 너를 위하여 몸 버려 피 흘려 주었건만, 너는 내게 무엇을 주었느냐"(I gave my life for thee, what hast thou given for me?)?

오늘도 세계 곳곳의 선교 현장은 기꺼이 자신을 희생할 한 알의 밀알이 될 그리스도인을 기다리고 있습니다. 누가 그 밀알이 될 수 있을까요? 하나님 나라를 위한 제2, 제3의 헨리 데이비스는 어디에 있을까요?

—

우리가 참된 그리스도인이라면
모두 같은 목자를 모시고 있다는 것입니다.
그 목자는 바로 예수 그리스도이십니다.